KB171600

길을 찾아서

박승동

길을 찾아서

발 행 | 2024년 07월 10일
저 자 | 박승동
펴낸이 | 한건희
펴낸곳 | 주식회사 부크크
출판사등록 | 2014.07.15.(제2014-16호)
주 소 | 서울특별시 금천구 가산디지털1로 119 SK트윈타워 A동 305호
전 화 | 1670-8316
이메일 | info@bookk.co.kr

ISBN | 979-11-410-9452-2

www.bookk.co.kr

<목 차>

추 천 사

급변하는 글로벌의 변곡점인 시대에 우리는 살고 있습니다. 이러한 시대에 1955년 4월 태권도의 명칭이 제정된 이후, 1961년 대한태수도협회가 창립되고 1963년 전국체전 경기종목으로 채택된 이후, 1965년 대한태권도협회로 개칭되어 발전하면서 올림픽 경기종목으로 채택되어 진 태권도가 앞으로의 변화를 예측하고 대안을 찾아 정책을 펴나간다면 대한민국은 태권도의 영원한 종주국으로서 그 위상을 이어 나갈 수 있을 것입니다. 이러한 측면에서 태권도인 최초의 자전소설로 인정받으며 태권도 신문 및 각종 사이트에 연재되어 울림을 주었고, 2002년 월드컵 기간에 방영된 KBS 인간극장 무림 일기 '고수를 찾아서'에 소개되기도 했던 박승동 사범의 실화인 '길을 찾아서'가 출간된다는 소식은 참으로 반갑기만 합니다.

이 책은 태권도의 길을 걸어가는 분들에게 이정표 역할을 할 것이라는 확신이 듭니다. 태권도를 배우고 수련하면서 얻어지는 깨달음과 동양 무술의 역사적 배경과 중국 무술의 핵심 기법인 발경, 일본 무도의 핵심인 합기, ITF 태권도의 핵심인 사인 웨이브에 대한 비교 설명과 함께 태권도가 지향해 나갈 길을 밝힌 박승동 사범의 길을 찾아서는 오늘날 많은 태권도인의 본보기가 되리라 생각됩니다.

국기원

원장 이동섭

시작하며

2000년 5월 하와이세미나에서 강의를 마치고 돌아오는 비행기 안에서 나는 SMITH 사범의 편지를 읽었다.
내가 가는 길을 그도 갈 것이라고 했다.
내가 가는 길……. 그 길을 돌이켜 보면 운명 같은 섬뜩함이 스쳐 가는 것을 느낄 수 있다.
' 운명은 내가 만들어 가는 것이지만 지나고 보면 정해져 있는 것 같은 느낌이 들기 때문이다.'
애제자(愛弟子)인 김병희 선수가 2000년 하와이 US 오픈 국제 태권도대회에서 우승하는 인연으로 하와이에 관광 겸 자매결연 목적으로 가고자 했었는데 뜻밖에 태권도 강의 요청이 있어서 며칠 동안 깊이 생각한 후에 나는 도복과 한복을 입고 하와이행 비행기에 올랐다. 이제 태권도는 대한민국이 종주국이지만 그것을 꽃 피우고 있는 나라는 세계 여러 나라이다. 그중에서 미국은 대표적인 나라이다. 우리나라 태권도인들은 기술이나 정신을 내 세우려고 노력할 것이 아니라 태권도를 생활화시키는데 애써서 태권도는 곧 생활시도라는 큰 깨달음 속에서 그 깨달음을 생활 속에 실천하는 진정한 도(道)의 세상을 이루어야 할 것이다. 왜냐하면, 그것이 태권도의 영원한 종주국이기 때문이라는 생각이 든다.

갑진년 유월 박승동

제1부 이루지 못한 약속

약속은
지킬 때 더욱 아름답다.
그러나 이루지 못한 첫사랑의 약속은
서산에 검붉은 구름이 수놓은 노을처럼
되돌아갈 수 없는 처절한 아름다움을 머금고 있다.
그것은 고독이 스며드는 진한 그리움이다 - 紫雲

紫雲 1978

1. 첫사랑의 약속

어려운 도 대표선발전

1979년 10월 16일!
어둠 속……. 죽음을 위한 나의 용기는 밤하늘 구름 사이 수많은 별들을 보는 순간 사라지고 말았다.
나는 주먹을 굳게 쥐고 연화봉에서 떠오르는 붉은 태양을 보며 스스로 의지를 다지기 위해 은메달을 목에 걸어 가슴속 깊이 넣고 소백산으로 향했다.

무덥고 기나긴 여름 속의 방황이었다.

1977년 고등학교 3학년이었던 나는 마지막 기회인 전국체전 충북 대표선발전에 출전하였다. 하지만 결승에서 경기는 이기고 판정에 지는 부당함에 실망하여 쉬고 있는데 영월 박실광 사범이 영월 대표로 강원 도민체전 겸 전국체전 대표선발전에 나가 보는 것이 어떠하겠느냐고 제안하여 1978년 초에 주소를 영월 쌍용으로 옮기고 강원 도민체전에 출전하여 우승하였으나 여러 가지 사정으로 전국체전에는 출전치 못하였다. 그리고 고향으로 돌아온 1979년 7월 신흥고교 체육관에서 전국체전 일반부 밴텀급 대표선발전을 앞두고 있었다.

나의 첫 상대는 3월 전국종별태권도선수권 대회에서 준우승한 MK 선수였다. 그를 응원하는 청주시 선수단의 일방적인 함성 속에 1회전이 시작되었다. 나는 기선을 제압하기 위해 기합을 힘차게 넣었다.

그리고 시간 차 뒷차기 공격을 구사하기로 했다.
오른발을 한 걸음 내디디니 상대는 예상대로 뒤로 물러난다. 이어진 나의 왼발 몸통 앞돌려차기에 이은 뒷차기를 보고 상대는 다시 일보 더 빠졌다가 오른발 몸통 빗기로 공격을 해 오는 찰라, 나는 뒷차기를 외발 자진 걸음으로 평소보다 한 걸음 더 깊게 밀어 찼다. 기분 좋은 감촉이 발끝에 전해졌다고 느끼는 순간, 받아 차려던 상대방의 몸이 공중으로 붕- 떴다 바닥으로 나 뒹굴었다. 잠시 적막이 흘렀다.

고요함을 깬 것은 나의 기합 소리였다.

– 이~얏!

기합 소리가 장내에 메아리치며 여운을 남기는 순간, 함성이 들려왔다. 바라보니 제천의 선후배들이었다. 다운을 당한 상대는 당황하며 일어나 거칠게 나를 몰아붙이기 시작했다. 그러나 나는 거리를 유지하며 여유 있게 그의 사정권 밖에 있다가 그가 들어오는 순간, 그의 몸통과 얼굴을 번갈아 받아 차며 경기를 풀어나갔다. 득점차가 벌어지기 시작했다.

3회전 중반 상대의 피곤한 눈동자와 마주친 나는 승리를 확신했다.
경기가 끝나자 경기장은 MK 선수의 패배가 믿기지 않는 듯 침묵이 흐르고 있었다.

강적을 보기 좋게 제압한 탓인지 이어진 준결승 결승전에서는 주눅이 든 상대들의 나약함에 여유 있게 우승을 하며 충북 대표선수로 선발이 되었다.

신흥고등학교 체육관 밖으로 나오니 길가 플라타너스 잎사귀를 스치는 7월의 바람이 싱그러웠다.
바람에 흔들리는 플라타너스 잎사귀를 보며 나는 그녀를 생각했다.

첫 만남

내가 그녀를 만난 것은 1977년 8월 강원도 사북에서 개최된 국회의원배 중부 영동지구 태권도대회에서였다. 기차에서 내려 처음 디뎌본 사북은 온통 까맣게 채색된 탄광촌이었다.
절망 속에 찾아온 사람, 마지막 희망을 안고 찾아온 사람들로 도시는 또 다른 세계였다.

사북초등학교 운동장을 빗자루로 깨끗이 쓸 고는 백회 가루로 라인을 친 맨땅에서 경기하는데 말이 맨땅이지 이건 숫제 연탄을 뿌려 놓은 것 같았다. 바닥만이 아니었다. 뜨겁게 내리쬐는 한낮의 태양은 경기에 몰두할 수 없게 만들고 있었는데 아마도 나의 태권도 선수 생활 중 최악의 환경 조건 속에 치러진 대회로 기억된다.

예선 첫 경기는 시작한 지 30초 만에 끝이 났다.
나를 노려보던 긴장한 상대는 내가 슬쩍 오른 자세에서 왼 자세로 바꾸자 오른발 앞돌려차기로 나의 몸통을 노리고 공격했다. 순간 나는 왼발 뒤돌려 차기를 시도하였는데 턱을 강타당한 상대는 뒤로 나가떨어지며 일어날 줄 몰랐다. 주심이 카운트 없이 나에게 승리를 선언하고 상대는 그대로 기절한 가운데 경기장에 준비된 의무 석으로 실려 나갔다.

준결승전!

1회전 중반 상대의 얼굴을 들어 찍기로 가격하고 나서 나는 웃음을 참을 수가 없었다. 상대의 오른쪽 눈 주위가 발 도장을 찍은 듯 온통 까맣게 발바닥 자욱이 나 버렸기 때문이었다. 도저히 참을 수 없어 내가 웃으니 주심이 주의를 준다.

- 청! 웃지 마!

하지만 주심도 도저히 참을 수 없었던지 주의를 주고 같이 덩달아 웃어 버리고 말았다.

- 하하하…….
- 아~하하하…….

그 바람에 갑자기 관중들도 더는 못 참고 모두들 배꼽이 빠지라 웃는다. 경기장이 온통 웃음바다가 되어 버렸다.

결승에서 나는 사북의 희망이라는 PKS 선수와 경기를 치렀다. 박 선수는 지난해 전국체전에서 우승하였던 선수를 예상 밖으로 제압하고도 대표로 전국체전에 출전하였었고 올해도 강원도 대표선수로 전국체전 출전을 앞둔 선수였다. 모든 관계자가 그의 우승을 예상했으나 순발력에서 뒤진 박 선수는 몇 차례 다운을 당하며 무릎을 꿇고 말았다. 판정이 내려진 순간, 탄식 소리와 함께 침묵이 흐르는 가운데 나는 경기장을 빠져나와 수돗가로 가는데 한 소녀가 서 있었다. 무심코 바라보니 소녀는 꽃 한 송이를 들고 서 있었다.
소녀를 보는 순간 온 세상이 환해지는 듯했다.
넋을 잃고 바라보는데 소녀가 다가오며 말했다.

- 오빠 축하해요. 원래 이 꽃은 KS 오빠 축하해 주려고 했었는데 …….
- …….

꽃을 건네주는 소녀의 눈과 마주쳤다. 얼굴이 화끈거리며 얼떨결에 꽃을 받았다.
용기를 내어 소녀에게 물었다.

- 이~이름이 뭐지?

하지만 소녀는 대답 대신 살짝 미소를 지으며 그냥 돌아서 뛰어갔다.
그렇게 사라지는 소녀의 뒷모습을 멍하니 바라보는 나를 보고 정열이가 말한다.

- 형 뭐해요?

하지만 나는 아무런 대답도 할 수가 없었다.

밤하늘을 수놓은 수많은 별 들과 어둠 속을 가로지르는 은하수! 그림처럼 아름다운 밤하늘에서 수많은 별 둘 중의 하나가 내려오듯 소녀는 나를 배웅하러 사북역으로 나와 주었다. 그리고 막차에 올라서는 나에게 소녀는 살며시 웃으며 말했다.

- 오빠! 내 이름은 SK야, SK…….

나는 머리를 끄덕이며 얼른 가방에서 볼펜을 꺼내 주소를 적어 주며 말했다.

- 편지해~

쪽지를 전해 받은 SK는 맑은 미소를 띠면서 손을 흔들었다.
밤차를 타고 제천으로 돌아오는 내내 SK의 미소는 어둠 속의 혜성처럼 나의 마음속 깊이깊이 비수처럼 파고들고 있었다.

지옥 훈련

제60회 전국체전까지 약 100여 일!
지도자 없이 훈련계획을 스스로 세워야 했다.
나는 영화 로키를 떠올렸다. 그리고 로키처럼 불굴의 투지를 키우고자 힘썼다.

2분 3회전을 쉬지 않고 뛸 수 있는 심폐력 강화와 지구력을 위해 아침마다 왕복 8km의 달리기를 시작했다.

새벽 6시에 일어나 로키 주제곡을 들으며 계란을 세 개씩 깨 유리컵에 넣고 소금을 넣은 다음 한 번에 쭉 들이켜고 준비운동 후 신당교까지 달렸다. 신당교에서 되돌아오노라면 동녘의 가창 산에서 솟아오르는 황금빛 태양은 지쳐 있는 나에게 무한한 용기 불어 넣어 주었다.

오전 운동은 10시부터 12시까지 두 시간 동안 기본 발차기와 보법, 방어법과 오른발이 나올 때, 왼발이 나올 때, 돌아 나올 때, 주먹이 들어 올 때, 붙었다 떨어질 때, 받아 차는 상대와 공격하는 상대에 대한 기본 대응 법을 집중적으로 훈련하고 연구하였다.

오후 운동은 득점 발차기 및 겨루기에 중점을 두었으나 늘 아쉬운 것은 겨루기 상대가 없는 것이었다. 나는 상대를 가리지 않고 여러 무술 도장을 찾아 다녔다. 그러나 제천에서 다른 무술 수련생들을 나의 상대되지 못할 뿐 더러 아무런 도움이 되지 못했다.

훈련을 시작한 지 한 달이 지나자 불청객인 슬럼프가 찾아 왔다. 훈련에 집중할 수가 없었다. 더욱 힘든 것은 나의 수준을 알 수 없다는 것이었다.
대회를 몇 번 출전하여 보았으나 훈련 부족과 코치 없이 출전하는 경우가 많았다……. 장점과 단점을 파악할 수 없었다.
그렇게 슬럼프에 접어들 무렵 인천대에 다니는 후배 종규가 왔기에 겨루기를 하다 신장이 10cm이상 차이가 나다 보니 아랫배를 찬다는 것이 종규의 골반 뼈를 차게 되자 그만 왼발 엄지발가락이 탈골되었다. 하지만 쉴 수 있는 마음의 여유가 없었다. 치료하며 훈련을 계속 하였으나 조수 같이 밀려 오가는 불안감은 어찌할 수가 없었다. 석 삼재라고 했던가? 부상은 계속 이어졌다. 전국체전에서 수차례 입상하였던 선배가 군에서 제대하여 같이 겨루기를 하다 왼손 중지에 금이 가는 부상을 당했다.
이어진 허리부상! 그것은 나의 의지를 결정적으로 무너뜨렸다. 그런 가운데 나에게 불굴의 투지를 일깨워 주는 것은 매일 같이 오는 SK

의 편지였다. 나는 SK의 편지를 읽으며 스스로 다짐했다.

- 그래! 죽기 살기로 하자. 훈련하다 죽어도 좋다. 이것이 SK를 위한 길이라면…….

약 속

1978년 2월 놀랍게도 SK는 친구들과 나를 찾아왔다.
편지하라고 작년 8월 사북에서 전해준 나의 주소를 보고 친구들과 찾아 온 것이었다.
보고 싶던 SK의 얼굴을 한참 바라보다 너무 창백하다고 생각되었다.

- SK! 어디 아프니?
- 응…….아니야, 오빠! 아프지 않아!
- 하지만 네 얼굴이 너무 창백한데…….
- 그런가? 참 오빠! 부탁이 하나 있는데…….

내가 물끄러미 바라보며 미소를 뛰며 바라보자 SK는 말했다.

- 오빠! 전국체전 금메달이 갖고 싶어!
- 금메달! 그거 쉬운 일이 아닌데…….

내 말을 들은 SK는 금방 시무룩해진다.
그 모습을 본 SK 친구가 말했다.

- SK가 오빠 이야기 많이 했어요. 그리고 SK가 많이 아파요.

SK를 바라보자 SK는 검지를 입술에 댄다. 그 모습을 본 나는 더 이상 묻지 않고 말했다.

- 그래 약속할게! 힘들겠지만 꼭 우승해서 금메달을 선물할게!

나의 말을 들은 SK는 환하게 웃으며 과일을 들었다.
그 모습을 보자 나는 또 한 번 온 세상이 밝아지는 것을 느끼며 가슴이 설레었다.

아버지의 선물

1979년 9월 7일 새벽! 눈을 뜨니 부모님께서 나의 팔을 잡고 계셨다.
걱정스러운 얼굴로 바라보던 어머니가 묻는다.

- 승동아! 무슨 몹쓸 꿈을 꾸었니?
- ......!

대답 대신 나는 어머니의 팔을 꼭 잡았다. 그러나 차마 나는 SK가 병원에서 하얀 가운을 덮은 채 영안실로 실려 가는 꿈을 꾸었다고 솔직히 말씀을 드릴 수가 없었다.
나는 벌떡 일어나 전화를 걸었다. 신호음이 한 참 울리더니 SK가 전화를 받는다. 나는 SK의 목소리를 듣고 한숨을 쉬며 수화기를 힘없이 떨어뜨렸다. 그 모습을 본 어머니께서 말씀하셨다.

- 승동아! 괜찮겠니?
- …….

다음날 오후에 아버지께서 부르셨다. 안방으로 들어가니 아버지는 책을 주신다.

- 요즘 많이 힘든 가 보구나? 하지만 몸 상하지 않게 휴식을 취해 가면서 연습해라.
- 네, 알겠습니다.
- 이 책은 내가 젊었을 때 참 재미있게 읽었던 책인데 초한지란다.
- 네! 고맙습니다.

아버지가 주신 책을 받아 방으로 돌아와 읽다 나는 눈이 번쩍 뜨였다. 그것은 한신 장군이 유방을 만나 병법에 관하여 설명하는 대목에서였다.

이정제동 이동제정(以靜制動 以動制靜)
'고요함으로 움직임을 제압하고 움직임으로 고요함을 제압한다.'

오후에 부모님께 편지를 한 통 써놓고 태백선 열차에 몸을 실었다.
태백선 열차는 언제나 만원이었다.
사람 사는 냄새가 물씬 풍기며 모두 들 제각기 사연이 많은 것처럼 보였다. 증산역에서 기차를 갈아타고 나전으로 향했다.

이 열차를 타고 SK는 나전에서 정선으로 통학을 하였고, 집으로 돌아와 매일 같이 나에게 편지를 써서 보냈다. 읽어 보면 매일 같이 내용이 달랐다. 지난 초여름, 창밖에는 개구리 울음소리가 많이 들려 잠을 못 이루고 편지를 쓴다고 했다.
나는 편지를 읽으면서 그녀와 함께 개구리 울음소리가 듣고 싶었었다. 그래서 나는 기차를 탔다. 들을 수 없음을 알면서도…….

나전에 도착하여 그녀의 집으로 가니 책상에 앉아 있는 SK의 모습을 보았다.
그녀는 아마도 나에게 편지를 쓰는 중이리라.
편지를 쓰는 정성 어린 SK의 마음을 본 나는 SK의 모습을 잠깐 본 것으로 아쉬움을 달래며 마지막 열차를 타기 위해 창가에 도복을 입고 있는 나의 사진을 살짝 끼워 놓고 나전역으로 발길을 돌려야 했다.

나전역 플랫 홈의 푸르스름한 가로등은 왠지 나의 마음을 안타깝게 만들었다. 지금 막차를 타고 떠나면 SK 이를 다시는 못 볼 것 같다는 느낌이 들어 더욱 더 미칠 것만 같았다. 하지만 열차가 도착했고 열차는 무정하게도 기적을 울리며 움직이기 시작했다.
기차 난간에 서서 하염없이 나전역 입구를 바라보는데 SK가 뛰어오는 것이 보였다.

- 오빠! 오 ~ 빠 !

그녀가 부르는 소리를 뒤로하고 나는 크게 외쳤다.

- SK! 다시 올게~ ~

밤차는 점점 속도를 더했다. 기차가 속도를 낼수록 점점 멀어져 가는 플랫홈 네온등 아래 홀로 서 있는 SK의 멀어져 가는 모습을 보며 나는 다짐했다.

- SK! 다시 올게 금메달을 가지고…….

무심한 밤차는 이내 어둠 속으로 빠르게 질주하기 시작했다.

제60회 전국체전

대전 시내는 온통 꽃밭이었다. 선배들이 긴장도 풀 겸 영화 구경하러 가자고 했다. 영화를 보고 숙소로 돌아오니 대진표가 나와 있었다. 첫 경기는 부전승이었고 두 번째 경기는 14일이었다.

샤워하고 자리에 누웠지만 잠을 이룰 수가 없었다.
어릴 때 나는 잠자리에 누우면 늘 불안했다. 그것은 땅이 빙- 돌다가 확 뒤집히면서 두 쪽이 나 버리면 어떻게 하나 하는 두려움이 엄습해 오곤 했기 때문이었다…….
지금이 꼭 그렇다.

10월 13일! 나의 상대가 될 부산 대표와 경북 대표 간의 경기를 보았다. 모두 키가 컸고 오른발을 잘 쓰는 경북 대표가 노련하게 많은 점수 차로 승리하는 것을 보았다.

10월 14일 경기가 가끔 중단되었다. 판정에 대한 시비로 시도에서 심한 어필을 하다못해 난동으로 이어지곤 했기 때문이었다.

나는 경북 대표와의 준결승 진출을 놓고 신중하게 경기에 임했다. 다행히도 다친 곳이 아프지 않았다.

2회 상대의 아랫배에 허점을 보고 빠르게 찬 나의 왼발 몸통 앞 돌려차기가 보기 좋게 성공하였다. 그렇게 나는 8강(준준결승) 경기에서 이기고 4강(준결승)에 진출하였다.
4강에서 대적할 경기도 대표와 재일동포 대표선수의 시합을 관전했다.
1회전 중반! 경기도 대표의 강력한 앞 돌려 차기가 작렬하면 경기는 싱겁게 끝났다.

저녁에 팀 미팅 시 충북선수단 회장단에서 모두 들 기분이 좋아졌는지 크게 격려를 하였다.
나를 비롯한 마상현 한재구 이동준 등등 많은 선수가 입상권에 진출하여 상위권입상이 기대되기 때문이었다.
정만순 교수님이 나를 보고 질문한다.

- 승동아! 아까 정말 잘했다. 그리고 내일 대적할 선수는 강적인데…….잘 파악했겠지?

- 네!
- 믿는다.
- ....

10월 15일
새벽 계체시 저울에 올라서니 몸무게가 55.4kg이 나갔다. 재일동포를 1회 KO로 이기고 올라온 경기도 대표는 54kg으로 통과를 하였다.

영광을 향한 선수들의 집념은 건강마저도 해칠 정도로 강했다. 어떤 헤비급선수는 큰 주전자를 입에 물고 물먹는 하마처럼 꿀꺽꿀꺽 마시다 힘이 드는지 주저앉아 있다 코치의 호통에 다시 마시는 촌극도 보였고, 경량급의 어떤 선수는 땀복을 입고 운동장을 뛰는 모습도 보였으며 체중을 통과한 어떤 선수는 저울에서 내려오기도 전에 토하여 날벼락을 맞은 경기위원들이 낭패를 당하는 모습도 보였다. 그렇게 영광을 향한 선수들의 집념과 성적에 연연하는 애환이 담겨 있는 계체 광경들이다.

나는 아침 식사를 하지 않고 땀복을 입고 운동장에서 달리기를 하며 몸을 풀었다. 워낙 치열한 시도 간의 과열 경쟁으로 유난히 무승부 경기가 많았는데 이러면 몸무게로 승부를 결정짓는 경우가 많았다. 이럴 경우를 대비해야 했다.
땀을 흘리고 나서 간단하게 달걀 하나를 깨서 소금을 넣어 먹고 경기장으로 향했다.

1회전!
상대와 마주 서니 쇄골이 눈에 들어왔다. 나와는 10cm 이상 차이가 났다.
주심의 구령과 함께 1회전이 시작되었다. 때론 황소처럼 무지막지한 공격이 효과적일 때가 있다. 이렇게 신장이 큰 선수들에겐…….

1회전 중반, 바람 가르는 소리에 급히 머리를 뒤로 젖혔다. 그 찰라.

상대의 발이 나의 턱을 강타하며 지나갔다. 주심이 카운트를 했다.

하나, 둘, 셋, 넷, 다섯, 여섯…….

카운트 여섯에 간신히 일어나 자세를 잡았다. 주심의 구령과 함께 상대가 뛰어드는 것이 보였다. 순간 나는 뒷차기를 시도했다. 상대는 방심한 듯 그대로 나의 뒷차기를 맞고 뒤로 밀려났다. 그것을 보고 시도한 360도 돌개차기(회전 앞돌려차기가)가 그의 옆구리에 꽂혔고 이어진 나의 주먹 공격에 상대가 코치석까지 밀려가기에 쫓아가며 차려는데 주심이 갈려를 선언했다. 나는 나도 모르게 점점 흥분하고 있었다. 주심의 구령과 함께 오른발 왼발 주먹 되는 대로 마구잡이로 밀어붙이기 시작했다. 그때 어디선가 귀에 익은 소리가 들려왔다.

-승동아! 침착해-

번쩍 정신이 들었다. 그렇다. 급할수록 돌아가야 한다고 했다. 천천히 침착하게 해야 한다고 스스로를 타일렀다. 1회가 끝나고 코치석으로 갔다.

- 승동아! 네가 반 박자 더 빠르니 모션(헛동작)을 주고 차는 것이 좋을 것 같다.

- 그게 좋겠네요. 모션을 주고 다가서서 접근전을 해야겠어요.
- 상대가 무릎을 접어서 찍어 차는 것이 좋으니 정면으로 들어가지 말고 옆으로 돌아가라.
2회! 자신만만하게 경기장으로 들어오는 상대를 보았다.

헛동작을 주니 상대가 왼발로 빠르게 뛰어 앞 돌려차기를 시도한다. 나는 오른팔로 막는 동시에 왼 주먹으로 가슴을 내 지르며 앞에 있는 왼발을 재빠르게 바꿔 상대의 오늘 옆구리를 찼다. 뻥~하는 경쾌한 소리가 났다. 이어 오른발 몸통 빗차기[1])로 상대를 공격하는 순간, 턱 밑에 섬뜩한 느낌이 들어 머리를 뒤로 젖혔으나…….

간발의 차로 나의 얼굴을 스치며 상대의 발이 지나가자 주마등처럼 지난 시간들이 스쳐 간다.

나전을 떠나 제천으로 온 나는 의림지를 지나 용두산에 올랐다.
소나무 아래에 서 있자니 새벽의 서늘한 바람이 턱 밑을 스쳐 간다.
나는 소나무를 향해 발을 뻗었다. 한 번 두 번 세 번……. 어느 순간에 나의 발등에 감각이 없었다. 발등을 보니 온통 새빨간 피가 떠오르는 햇살에 반사되어 붉게 빛나고 있었다. 산을 내려오면서 나는 아기똥풀을 뜯어 노란 액을 발등에 발랐다. 엄청난 고통이 따랐다. 아기 똥풀을 바르면 아무리 지독한 상처도 삼사일이면 낫는다는 것을 나는 잘 알고 있었다.

주심이 나의 팔을 잡았다. 나의 팔이 올라갔다. 상대를 바라보니 그의 팔도 올라갔다.
-무승부- 체중으로 승패를 갈라야 했다.
자신만만하게 저울에 올라가는 상대를 보았다. 하긴 뭐 아침 계체 시에 나보다 1kg이상 덜 나갔으니…….
충남여고 실내체육관 계단에 앉아 장내 아나운서의 계체 결과 발표

1) 빗차기는 앞차기와 앞돌려차기 중간 형태의 기술이다.

를 들었다.

- 충청북도 박승동 선수의 계체 승입니다.

아무 생각도 나지 않았다. 깊은 생각에 잠겨 앉아 있는데 경기도 대표가 올라왔다. 나는 일어나 손을 내밀려 말했다.

- 아쉬운 경기였습니다. 기회가 있으면 한 번 더 좋은 승부를 바랍니다.

경기도 대표선수가 악수를 하며 말했다.

- 축하합니다.
- 고맙습니다.

고개를 떨어뜨리며 말없이 돌아서서 가는 그를 물끄러미 바라보고 있노라니 저 만치서 팔뚝으로 눈물을 훔치며 걸어가고 있었다.

10월 16일 결승전!
1회전을 유리하게 앞섰다. 그리고 2회전 중반 순간적인 헛동작을 취하려는데 갑자기 허리에 통증이 밀려 오면서 움직일 수 없는 상황이 되었다. 그러자 코치와 충북선수단에서는 난리가 난 것 같았다. 유리하게 경기를 이끌다가 무기력하게 움직일 수 없는 나를 보고 다들 강하게 공격을 독려했다. 그러나 나는 움직일 수가 없었다.
악몽 같은 3회전을 마치고 상대의 팔이 올라가는 것을 보면 나는 패자에게 변명은 어울리지 않는다고 생각했다. 다만 최선을 다하지 못한 나 자신이 너무나 아쉬웠다.

경기장을 나서며 충남여고 체육관 천장을 쳐다보았다. 어지러웠다. 현기증이 일면서 지난 일주일의 열전이 파노라마처럼 스쳐 간다.

밤차가 터널로 들어설 때 나는 잠에서 깨어났다. 차창 밖은 온통 어둠이었다. 갑자기 어둠도 빛이라는 생각이 들었다.

- 그래! 저 어둠의 세계에서는 아무것도 느낄 수가 없을지도 몰라. 그녀와 지키지 못한 약속도 저 어둠의 세계에서는 괜찮을지도 몰라. 차라리 저 어둠의 세계로 가는 것이 더 편할지도 모르겠어!

- 빠~~~앙~~~

기적소리에 문득 정신이 들었다.
철거덕 철거덕 레일 위로 밤차의 바퀴 굴러가는 소리가 들려왔다.
심호흡하고 별이 빛나는 밤하늘을 바라보았다.
이대로 끝낼 수는 없는 일이라고 생각했다.
은메달을 손에 쥐고 나는 크게 외쳤다.

- 그래, 지금 나는 잠깐 멈춘 것뿐이야! 멈추었다 다시 출발하는 밤차처럼 오늘의 패배를 내일의 승리로 바꾸기 위해 노력하는 거야.

[약속은 지킬 때 더욱 아름답다.
그러나 이루지 못한 첫사랑의 약속은 서산에 검붉은 구름이 수놓은 노을처럼 되돌아갈 수 없는 처절한 아름다움을 머금고 있다. 그것은 고독이 스며드는 진한 그리움이다.]

2. 슬픈 약속

좋은 사람들

1979년 10월 29일 박정희 대통령이 서거했다.
세상이 어수선했다. 하지만 나는 민주화를 향한 시대적 상황을 제대로 판단하지 못했다.
나의 마음 한가운데에는 온통 SK와 약속한 금메달로 가득 차 있었다.

그해 초겨울(12월)에 전국체전을 위한 전력 보강 차원 정책에 의하여 나는 정익진 관장님의 추천으로 제천읍사무소에 입사했다. 그리고 1980년 4월 1일자로 제천읍에서 제천시로 승격되면서 나는 제천시청에 소속되어 근무하게 되었는데 운동하는 데 지장이 없는 부서인 수도과 수원지에 근무하게 되었다.

지만영 선배와 같은 조에 근무하게 되었는데 내가 연습하러 갈 저녁 무렵이면 수원지 근처에 자택이 있던 육군 소령으로 예편하신 손해봉 씨가 아무 조건 없이 나와 도와주시곤 했다.

수원지에는 여과지 위로 체력 운동하기 좋은 잔디밭이 두 개나 있었다.

낮에는 가끔 SK가 찾아와 훈련을 도와주었다.
저녁에는 겨루기 상대를 찾아 여러 곳의 체육관을 돌아다녔다.
훈련을 마치고 밤늦게 돌아오면 근무시간이 아닌데도 불구하고 손해봉 씨는 여러 가지 많은 이야기를 들려주었다.
주위의 좋은 사람들 덕분에 나는 홀로 운동하지만, 최선을 다할 수 있었다

1980년도 국가대표선발전

1980년 3월 나는 국가대표 2차 선발전에 약 20일간의 맹훈련 속에 출전하였다. 전국대회에서 입상한 선수들이 출전하는 대회인지라 한 경기 한 경기가 결승전 같았다. 놀랍게도 세계대회에서 연속 우승한 밴텀급의 KJK 선수가 첫 경기에서 패하였다.
나중에 알았지만, 해병대에서 고질적인 구타로 허벅지가 늘 퍼렇게 멍이 들어 있었고 얼차려로 제대로 운동을 할 수 없는 상태였다고 했다. 해병대에서만이 아니라 육군대표들도 같은 처지였다. 올라온다면 나와 8강에서 만나게 되는데…….
김 선수를 이기고 올라온 선수는 경상대의 CSY 선수에게 패하여 최 선수가 나와 8강에서 맞붙게 되었다.

코치 없이 경기장에 나가자 청주의 SSJ선수가 재빨리 흰 수건과 물병을 들고 뛰어와서 호구를 매주면서 세컨드 석에 앉았다.

1회전 중반 공격하는 최 선수의 가슴을 향해 오른 주먹을 뻗었다.

그 순간, 발차기를 시도하는 상대의 무릎을 스친 나의 주먹은 위를 향하여 최 선수의 목을 강타했다. 최 선수는 목을 잡고 나뒹굴었다. 그러나 고의가 아닌 것으로 판단한 심판은 나에게 경고하지 않고 경기를 속행했다. 주심의 경기 속행에도 계속 엄살을 부리자 주심은 그에게 감점을 선언했다.

2회전 그의 주특기인 왼발 뛰어 찍기를 보고 짧게 뒷차기로 맞받았다. 아랫배를 강타당한 상대는 보기 좋게 다운이 되었다.

3회전, 자신이 생긴 나는 상대를 향하여 몸통 오른발 앞 돌려차기에 이어 360도 회전 앞돌려차기를 차는 순간, 상대의 오른발이 나의 옆구리에 꽂혔다. 아차, 하는 찰라. 두 번째 상대의 공격이 이어져 순식간에 2:2(나의 점수는 감점 1점과 득점 1점으로 순수 득점 2점인 상대가 이기는 결과)가 되었다.

경솔한 경기 운영이었고, 나의 자만이 낳은 결과였다. 또한, 대한태권도협회의 경기규칙이 해마다 바뀌는 과도기였다. 결국, 최승룡 선수는 최종 선발전에서 김종기(세계선수권 3회 우승, 정범수(세계선수권 1회 우승) 선수를 차례로 이기고 대표선수로 선발되어 아시아태권도선수권대회에서 우승하였다.

직장 생활

제천 수원지에는 수십 년 동안 잘 가꾸어 놓은 등나무와 향나무 그리고 회양목과 소나무 등이 잘 어우러진 그림 같은 곳이었다. 숙직하고 새벽에 나가 보면 어느새 누가 빗자루로 깨끗이 청소하여 놓곤 하였다. 나중에 알았지만, 직장동료이신 손해봉 주사가 자기 근무시간이 아니더라도 매일같이 운동 삼아 수원지 전체를 빗자루로 깨끗하게 청소를 하고 있었던 것이었다.

5월 들어 함께 근무하던 지만영 씨가 사표를 내고 함백탄광으로 취직이 되어 떠나면서 인생에 도움이 될 만한 책이라면서 선물로 주었다.
안병욱 선생님의 '뜻있는 곳에 길이라는' 책이었는데 이 책은 나의 인생관과 가치관에 많은 영향을 주었다.

6월에는 손해봉 씨가 용석 취수장으로 발령이 나서 가고 청전동 장이었던 이동주 씨가 발령이 나면서 한 조가 되어 근무하게 되었다. 이동주 씨는 장기를 정말 잘 두었는데 덕분에 나는 장기를 조금 배웠다.

유월이 가기 며칠 전에 SK가 제천에 와서 전화하였다. 나는 만사를 제쳐놓고 그녀와 의림지에 갔다.

천 삼 백 년 전에 만들어진 의림지의 노송들은 우리를 반겨 주는 듯했다.

우륵이 가야금을 타며 즐겼던 버드나무 아래 연자암에 앉아 잠시 쉬는데 SK는 피곤한지 잠이 들었다. 한참 바라보다 나는 그녀에게 입맞춤했다. 바람에 들킬세라 가슴 조이며……. 주위에서는 새소리와 물소리 그리고 나의 가슴 뛰는 소리만이 들렸다.

초등학교 교과서에도 실려 있는 홍사구의 묘에 참배하고 저녁식사 후 막차로 떠나는 SK를 배웅하는데 그녀가 말했다.

- 오빠! 약속 잊지 마. 그리고 작년처럼 다치지 않게 운동해-
- 그래 알았어. 너도 아프지 마!-

기차에 오르던 그녀가 눈가에 눈물이 맺히기 시작했다. 기차가 움직이기 시작하고 손을 흔들며 배웅하던 나는 함께 기차에 오르지 못하는 것을 후회하였다.

제천역 광장으로 나온 나는 택시에 올라타며 부탁을 했다.

-지금 출발한 기차를 따라잡아 주세요-

다행히도 송학역에서 기차를 탈 수 있었다.

사람들 사이를 지나 SK의 마르지 않은 눈물을 보고 손수건을 내밀었다. 깜짝 놀라며 바라보는 SK의 어깨를 감싸 안으며 말했다

- 도저히 혼자 보낼 수가 없었어!-

SK의 볼을 타고 끝없이 흘러내리는 눈물을 보며 나는 그녀를 지켜 줄 수 있다는 사실이 너무나 행복했다.

밤차의 기적소리가 허공에 메아리치며 어둠 속을 질주한다.

슬픈 약속

1980년 7월 나는 병역 신체검사를 마치고 다음 날 제61회 전국체전 충북 대표선발전에 출전하여 결승에서 심판들의 견제에도 굴하지 않고 전국대회에서 수차례 입상했던 김학만 선수를 이기고 도 대표로 선발되었다.

지난해의 경험을 토대로 세밀한 계획을 세우고 다치지 않게 몸 관리를 하면서 착실히 훈련하였다.

언제부터인지 누군가 체육관 창문에 몰래 메모와 함께 우유와 빵을 놓고 갔다. 누군지 궁금했지만, 알 수가 없었다. 하루는 마음먹고 지켜보고 있노라니 한 아가씨가 살며시 다가와 우유와 빵을 놓고 가는 것이 보였다. 뛰어가 부르니 깜짝 놀라며 돌아선다.
경림이었다. 고등학교시절에 수련하는 것을 잠시 본 적이 있는 두 살 어린 후배였다.
나는 씩 웃으며 말했다.

- 고마워!

그녀는 겸연쩍어하면서 뛰어간다. 체육관 옆 대양물산에 근무하는데 간식으로 나오는 것을 안 먹고 주는 것이라고 했다.

8월 16일 여름 햇살이 뜨거운 오후!
100마력의 모터 소리에도 선명하게 다급한 외침을 들었다.

- 박 주사 빨리 와

급하게 밖으로 나가니 이동주 씨가 옷 입은 채로 물속에서 소녀 둘을 안고 나오고 또 다른 소녀 둘이 허우적거리고 있었다.

20마력의 취수 모터는 어른도 헤어나지 못하는 흡입력을 갖고 있기에 변전실로 뛰어가 차단기를 내리고 밖으로 나와 물속으로 뛰어가 소녀 하나를 건져 나왔는데 소녀가 말한다.

- 아저씨 제 동생 살려주세요!

개울을 쳐다보니 아무도 없었다. 그런데 또 소녀가 울부짖듯이 외친다.

- 아저씨 내 동생 죽어요. 살려 수세요

아차! 싶어 모골이 송연해지는 것을 느끼며 넓은 개울로 뛰어들었으나 물이 너무 깊고 청태 때문에 주변이 보이지가 않았다. 나는 헤엄을 치며 찾기 시작했다.

인근에 있는 농부들도 가세하여 찾는데 한참 만에 누군가 큰 소리로 말했다

- 찾았다.

바라보니 한 소년이 물속에서 건져져 나오는데 항문이 벌어지고 입술이 파랗게 변한 것을 보고 아! 늦었구나. 하는 생각이 들면서도 나는 미친 듯이 인공호흡을 하기 시작했다. 보다 못한 주위에 한 분이 나의 옷깃을 잡아당기며 고개를 가로젓는다.

어둠이 내려앉기 시작할 무렵 연우가 내리기 시작했다.
소년의 시신은 검사의 확인 절차를 거치느라 부모가 데려갈 수 없었다.
소년은 삼대독자라고 했다. 가슴이 아팠다.

수은등의 푸르스름한 불빛 아래에서 비를 맞으며 말없이 지켜보고 있는데 이동주 씨가 막걸리를 한 병 가지고 오셨다. 막걸리를 한 잔 마시니 나도 모르게 눈물이 나왔다. 나의 근무시간이었고 그 시간에 소년은 죽었다. 소년을 위해 무엇인가 해야 한다고 생각했다.

- 그래, 너에게 해줄 수 있는 것이 아무것도 없구나. 하지만 지켜보아 주렴. 이번 체전에서 우승하면 너에게 메달을 줄게

나는 소년의 시신 앞에 약속하고 돌아서는데 SK의 얼굴이 떠올랐다…….

다음날부터 나는 가혹한 훈련을 하기 시작했다. 하루하루를 힘겹게 보내는 가운데 SK의 편지와 경림의 격려는 큰 힘이 되어 주었다. 그런데 매일 같이 오던 SK의 편지가 일주일째 오지 않았다. 궁금하여 SK의 집으로 전화를 하니 그녀의 아버지가 받는다.

- SK는 여행을 떠났어. 한 보름 걸릴 거야. 자네의 금메달 소식이 올 때쯤 돌아올 걸세.

제61회 전국체전

최선을 다한 나의 훈련은 만족스러웠다. 도지사와 기관장의 배웅 속에 도착한 전북 이리는 폭팔로 얼룩진 상처를 딛고 아름다운 도시로 꾸며져 있었다. 시내 구경을 하고 숙소로 돌아오니 대진표가 나왔다. 이번 전국체전부터는 다득점제이며 라운드 시스템으로 치른다고 한다. 두발이 공중에서 얼굴을 가격하면 3점, 얼굴 2점, 몸통 득점은 1점, 다운이면 2점이었다. 그리고 이례적으로 예선부터 3분 3회전이었다.

예선 첫 상대는 제주도 대표선수!
1회전 시작과 더불어 이정제동(以靜制動:고요함으로 움직임을 제압함)의 전술로 임했다. 스텝이나 속임 동작을 하지 않고 움직임 없이 기다리고 있다가 공격하는 상대의 허점을 찾아 순식간에 득점을 올리는 전술이었다.

왼발로 빠르게 공격하는 상대의 얼굴을 향해 시도한 나의 뒤 돌려 차기가 간발의 차로 얼굴을 스쳐가자 상대는 깜짝 놀라며 뒤로 물러서더니 이내 상대는 짧게 동작을 주더니 오른발 들어 찍기로 공격을 하였다. 이때다 싶어 오른발 몸통 앞 돌려 차기로 받아 차는데 상대의 공격이 갑자기 앞 밀어 차기로 바뀌며 나의 가슴을 강타했다. 실내를 가득 메운 관중의 함성 속에 나는 공중으로 붕- 뜨며 뒤로 나가떨어졌다.

주심의 카운트 속에 나는 서서히 일어나며 자세를 취하였다. 이어진 그의 움직임을 보고 오른 주먹으로 강하게 지르는데 상체를 약간 숙인 상대의 얼굴에 사정없이 나의 주먹이 꽂혔다. 나뒹구는 상대를 일으켜 세우고 얼굴을 살펴보던 주심이 나에게 바로 1점 감점을 선언한다. 코치석을 보니 당황한 정해열 코치가 담배를 빼 무는 것이 보였다.

작년과는 달리 나마저 진다면 유례없이 충북선수단은 전국체전 예선 첫 경기 13연속 패배를 기록하게 될 판이었다.

주심이 득달같이 주의를 준다. 나는 코치에게 가볍게 미소를 지으며 손을 들어 여유를 보이며 자세를 고쳐 잡았다.

전술을 바꾸어야 했다. 이동제정(以動制靜 :움직임으로 고요함을 제압함) 속임 동작으로 상대를 유인하여 빈틈을 찾아야 했다. 짧게 헛동작을 주니 상대가 한걸음 뒤로 물러나는 것을 보고, 이어 왼발을 먼저 허공에 살짝 차고 오른발을 굴러 허공에서 오른발을 차는 척하다 왼발 앞차기로 상대의 얼굴을 가격하였다. 이른바 공중 삼단 앞차기였다. 상대는 주먹으로 맞받으려다 보기 좋게 얼굴을 강타당하며 뒤로 나가떨어졌다. 주심이 카운트를 하는데 1회를 끝내는 호각소리가 들려왔다.
세컨드 석으로 돌아가니 코치는 말했다.

- 이제 동점이다. 됐다. 슬슬 해라.

나는 씩 웃으며 2회 3회를 최선을 다해 경기를 치르고 호구를 벗는데 나의 도복에 상대의 입술에서 나는 피가 사방 묻혀 있었다. 치열한 3분 3회전이었다.

준준결승전은 충남 대표 오창근 선수와의 대결이었다.

1회전 중반 접근전서 오 선수가 무릎으로 나의 허벅지를 가격하여 경고를 받은 상태에서 왼발 몸통 앞돌려차기가 성공하여 1점을 앞선 가운데 1회를 마치고 코너로 돌아오는데 왼발이 마비되어 걸음을 옮기기가 힘들었지만, 상대에게 허점을 보일 수가 없었다. 억지로 발을 옮겨 천천히 돌아와 의자에 앉으니 코치석으로 온 정만순 교수님께서 말씀하였다.

- 승동아! 우리 선수단 옆에 교육감님을 비롯하여 여러 기관장이 응원하러 오셨다. 그리고 자매결연을 한 이리남중 학생들이 응원

하려고 많이 와 있다. 그러니 꼭 이겨라.

머리를 돌려 바라보았다. 이리남중 학생들과 충북 교육감님과 여러 기관장께서 목소리 높여 응원한다.

- 박승동 이겨라! 이겨라. 이겨라

응원의 목소리가 메아리쳐 온다. 갑자기 가슴이 뭉클해 지면서 콧등이 찡-해온다. 정해열 코치님이 수건으로 나의 눈물을 닦아주며 말한다.

- 다리 어떠니, 할 수 있겠어.

눈을 감으니 수원지에서 죽은 소년의 시신과 SK의 얼굴이 떠오른다. 대답 대신 고개를 끄덕이며 나는 어금니를 꽉 물고 자리에서 일어나 경기장으로 걸어 나갔다.

신들린 듯한 나의 힘과 속도에서 밀린 오 선수는 여러 차례 다운을 당하며 고개를 떨어뜨렸다.

밤새 허벅지 통증으로 잠을 설치고 아침에 일어나니 걸음을 걸을 수가 없었다. 도복을 겨우 입을 정도로 허벅지가 퉁퉁 부어 있었다.
코치와 임원들이 동메달을 확보했으니 기권하는 것이 좋겠다고 했으나 나는 죽어도 그럴 수는 없다고 했다.

준결승전은 강원도 대표와 치렀다.

사력을 다해 경기에 임했으나 나의 부상을 간파한 상대는 나의 오른발을 견제하며 1, 2회전에서 2점을 득점했다. 3회전에 나는 최후의 선택을 해야 했다. 다친 왼발을 사용하여 2점을 획득했으나 라운드 시스템 제도로 인해 나의 패배가 선언되었다.

의무 석에서 치료를 받고서야 간신히 걸음을 걸을 수가 있었다.

경기장을 나오는데 복도에 걸려 있는 거울에 나의 모습이 비쳤다. 거울 앞에서 또 하나의 야위어진 나의 모습을 보노라니 나 자신이 가엾게 느껴졌다
수많은 얼굴들이 파노라마처럼 스쳐 간다……. 나는 피로 얼룩진 도복을 벗으며 스스로 위안하듯 중얼거렸다.

- 그래 난 최선을 다한 것이야…….-

하지만 나는 알고 있었다. 당분간 도복을 입지 못하리라는 것을…….

망초(亡草)

1980년 12월 24일!
잿빛 먹장구름으로 뒤덮인 하늘에서는 폭설을 쏟아붓고 있었다. 밤 11시 30분! 가톨릭 다방에서 문을 닫기 위해 정리하는 종업원의 눈치 속에 애꿎은 성냥개비만 부러뜨리던 나는 네 번째 제천에 도착하는 태백선 열차 시간에 맞춰 제천역으로 나가고 있었다.

오늘 아침 SK에게서 건강이 악화하였는데도 크리스마스이브에 굳이 나를 찾아오겠다며 고집을 피웠다. 기차가 도착할 때마다 마중을 나갔으나 마지막 승객이 나오고 역무원이 들어갈 때까지 눈을 크게 뜨고 기다려도 그녀는 나오지 않았었다. 온종일 그렇게 기차가 도착할 때마다 나는 그녀가 오는 것을 믿어 의심치 않았으나 그녀는 지금까지 나타나지 않았다.

막차가 도착하고 모든 승객이 나왔는데 그녀는 나오지 않았다. 아픈데 안 오는 것이 정말 다행이라는 생각이 들었다. 역무원이 문을 닫고 돌아서는데 갑자기 거짓말처럼 SK는 나타났다. 나는 뛰어가 코트를 벗어 그녀에게 감싸주며 택시를 잡으려고 하니 그녀는 걸어가자고 했다.

눈을 맞으며 팔짱을 끼고 걸어가면서 나는 그녀를 나무랐다. 왜? 고집을 피우냐며……. 그런 그녀는 야속하다며 눈물을 떨구었다. 그러면서도 그녀는 내 손을 꼭 잡고 놓지 않고 있었다. 그런 그녀의 목에는 지난 체전에서 받았던 동메달이 걸려 있었다.

집으로 걸어가며 SK가 조용히 말문을 열었다.

- 오빠, 내일 수원지에 같이 가 응?-
- 왜?-
-오빠가 저번에 수원지에서 죽은 소년에게 메달을 준다고 약속 했다며-
-그랬지. 하지만 너와의 약속이 먼저라…….-
- 오빠! 이제 됐어. 내일 가서 약속을 지켜! 그리고 이제 그런 약속 하지 마!-
- ....-

다음날 수원지 옆 개울에서 나는 그녀가 지켜보는 가운데 늦게 나마 약속을 지켰다. 그리고 그녀를 나전까지 바래다주고 막차로 나오는데 나전역의 가로등 아래 홀로 서서 떠나가는 나를 바라 보는 그녀를 보니 지금 막차로 떠나면 다시는 못 볼 것 같은 두려움이 가슴속 깊이 파고들면서 안타까움 속에 스며드는 아픔을 견디기 힘들었다. 차라리 눈물이라도 나왔으면…….이토록 견디기 힘들진 않을 텐데…….

아지랑이 춤추고 버들강아지 움트는 봄날 그녀는 내게 편지를 보내왔다.
오빠와 같이 망초를 보고 싶다고…….

지난여름 그녀가 제천에 왔을 때 하얀 꽃잎에 노란 수술이 달린 조그만 꽃을 보고 말했다.

-오빠! 저건 국어 선생님이 그러셨는데 망초래!-
-웬 망초-
-우리나라가 일제에 망할 때부터 전국에서 피어나기 시작한 외래종이래.-
-저 꽃 몽땅 꺾어 버려야겠네.-
-포기해 오빠! 지독한 꽃들이야.-
-나쁜 놈들이군. 저거 먹어 치우는 짐승들 없나?-

그런 나를 보면서 하얀 이를 드러내며 활짝 웃는 그녀!
나는 하늘을 날아갈 것 같았었다.
그러나 끝내 그녀는 나와 같이 망초를 볼 수 없었다.
그것이 마지막 편지가 될 줄은 상상도 못 한 채 나는 여름을 기다렸고 그녀와의 약속을 위해 구슬땀을 흘리고 있었다. 수원지의 정다운 벗들과 함께…….

<수원지 여과지 위 잔디밭>

3. 이루지 못한 약속

떨어지는 꽃잎

오월이라지만 새벽 공기가 차가운 지난 밤, 경림은 과음으로 인사불성이 된 나를 안고 밤을 지새우다 여명이 밝아오는 새벽에야 정신을 차린 나에게 조심스럽게 물었다.

- 오빠! SK 빈자리를 내가 대신하면 안 돼?
- …….

경림의 시선을 피하며 머리를 돌려 밝아오는 동녘을 바라보았다.

이틀 전! 도복이 땀에 흠뻑 젖도록 홀로 훈련을 마치고 수원지로 갔다. 근무 교대를 하고 샤워를 한 다음 사무실에 앉아 있는데 전화가 걸려 왔다.

- 네 수원지 박승동입니다.
- 오빠! 언니가…….

미처 말을 끝내지 못한다. 나는 그녀가 SK의 동생인 수련임을 금방 알아차리고 되물었다,

- 무슨 일이야?
- 언니가 며칠 전에 의식을 차리지 못하고 원주 기독교 병원에…….
- 그걸 왜 이제야…….

나는 손 주사에게 전화로 대신 숙직을 부탁하고 택시를 타고 원주로 갔다. 병원에 도착하여 뛰어가다 현관 앞에서 마침 밖에 나와 담배를 피우고 계시는 SK의 아버지와 마주쳤다. 인사를 하자 나를 보고 씁쓸한 웃음을 띈다.

- SK는요?

SK의 아버지는 말을 잊은 듯 한참을 침묵하다가 하늘을 보며 떨리는 목소리로 말을 한다.

- 아무래도 자네와는 인연이 없는 모양이야.
- 그럴 수는 없습니다.

나는 몸을 돌려 중환자실로 들어가려고 하자 SK 부친이 울먹이며 말을 한다.

- 내 몸을 팔아서라도 일찍 수술을 시켰어야 했는데 수술 시기를 놓쳤어. 내가 죄인이야.

다급한 마음과 두려운 마음으로 중환자실로 향했다.
두 눈을 살며시 감고 산소마스크를 쓴 그녀가 말없이 나를 맞이한다.
가까이 다가가 그녀를 부르니 간호사가 다가와 주의를 시킨다.

- 죄송합니다만 조용히 해주세요.
- 어디가 어떻게 아픈가요?
- 실례지만 어떻게 되세요?
- ....

대답이 없는 나를 바라보던 간호사가 너무 애절한 나의 모습에 어찌지 못하고 기어들어 가는 목소리로 대답을 한다.

- 뇌막과 뇌질에 종양이 너무 악화하여……. 오늘을 넘기기가 힘들 것 같아요.
- 세상에 이럴 수가 …….

나는 SK를 한참을 바라보다 마지막이라는 단어에 어찌할 바를 모르고 몸서리를 치며 SK 바라보며 소리 죽여 울다 그녀를 뒤로하고 몸을 돌려 중환자실을 힘없이 걸어 나가면서 원망 어린 눈초리로 간호사를 바라보았다.
눈길이 마주친 간호사가 손수건을 꺼내 주었지만 나는 머리를 좌우로 흔들며 손수건을 받지 않고 그냥 걸어 나왔다. 어둠 속 총총한 별빛 사이로 밝은 달빛이 소리 없이 내린다.

- 아니야 이건 꿈이야! 꿈!

나는 신음처럼 중얼거리며 병원을 나섰다. 다음 날 아침 출근하여 수원지의 정문을 지나가는데 여과지 위로 노랑나비 한 마리가 춤을 추며 날고 있다. 나비를 바라보니 간밤에 꾸었던 꿈이 생각난다.

SK의 손을 잡고 들판을 달리며 그녀를 바라보니 어느새 그녀는 하얀 드레스를 입고 하늘하늘 춤추는 나비처럼 나에게로 다가왔다. 너무 좋아 그녀를 꼭 포옹하다 잠에서 깨어났다.

기계실을 지나 숙직실로 가서 손 주사님과 교대를 하고 근무하는데 일이 손에 잡히지 않는다.
비색기로 염소(소독약)를 체크 하는데 전화가 와서 받으니 경림이었다.

- 어제 전화하니 원주 갔다고 하던데 무슨 일이야.

나는 힘없는 목소리로 말했다.

- SK가 의식불명이야. 어떻게 될지 모르겠어.
- 형은 멍청이구나, 사랑하는 사람이 그렇게 되었는데 뭐하고 있는 거야. 나랑 같이 원주로 가자. 기다려!

나는 대답 대신 수화기를 내려놓고 밖으로 나와 하늘을 보았다.
흰 구름이 드문드문 떠가는 하늘은 파랬다. 여과지 옆으로 가니 달롱이 푸릇푸릇 솟아 있었다. 나는 호미로 달래를 캐기 시작했다. 어머니에게 달래를 맛있게 묻혀서 SK와 같이 먹어야지 하면서 캐는데 아까 보았던 노랑나비가 달래를 담아 놓은 바구니에 앉았다. 물끄러미 바라보고 있노라니 이주사가 부른다.

- 박주사 전화 왔어!

뛰어가 전화를 받으니 수련이었다.

- 언니가…….

울음 반으로 말하곤 전화가 끊어졌다. 나는 넋이 나간 채, 중얼거렸다.

- 그렇게 쉽게……. 한마디 말도 없이…….

하늘이 무너져 내린다. 하염없이 달래가 담긴 바구니를 바라보다 나는 수원지를 나와 무작정 걸었다. 걷다 보니 제천역이다. 불과 몇 달 전에 저기로 그녀가 걸어 나왔었는데…….나는 못 견디게 그녀가 그리워졌다.
- 아니야 이건 거짓말이야. SK는 죽지 않았어.
나는 뛰어가 표를 끊고 태백선 열차에 몸을 실었다. 증산에서 다시 기차를 갈아타고 나전을 향했다. 수도 없이 그녀는 이 기차를 타고 다녔을 것이다. 오가는 열차의 모든 사람처럼 그녀는 웃으며 이 길을 다녔을 것이다. 또 눈물이 난다. 그런 나를 보고 할머니 한 분이 말을 건넨다.

- 에그 젊은이 무슨 슬픈 일이 있어 아까부터 눈물이 그치지 않아?
- 할머니, 혹시 SK를 아시나요? 밝고 명랑하고 착했었는데…….

말을 이어가지 못하고 이내 울먹이는 나를 보고 할머니가 등을 두드리며 위쪽으로 한다.

- 글쎄 본 것 같기도 한데…….그렇게 예쁘고 착했어…….
- 네…….
- 저런 그런 것이야…….쯧쯧……. 슬프면 울어야지. 그렇지만 적당히 슬퍼해야 해, 너무 울면 몸에 해로워. 젊은이는 꼭 죽은 우리 손주 같아. 쯧쯧!

낯선 할머니의 위로 말이 기어코 나를 엉엉 울게 했다.
나는 창피함을 잊은 듯 기차 안이 떠나가라 소리 내어 울고 말았다.

어느덧 기차는 정선역에 다다랐다. SK의 여동생이 졸업하던 날 같이 걸어가던 생각이 났다.

정선역에서 내렸다. 역사를 나서니 아름드리 버드나무가 나를 반긴다. 물끄러미 바라보다 갈증을 느낀 나는 대포 집에 들어가 탁주를 한 사발 마시고 나와 정선에서 나전까지 굽이치는 강을 따라 걸었다.
굽이치는 조양강은 무심하게 흐르고만 있었다.

내 첫사랑!
미소가 어여쁜
너를 하늘 멀리 보내고

돌아서는 길에
바람에 휘날리는 꽃잎들은
꽃비가 되어 처량도 하구나

옮기는 걸음걸음마다
너와 함께 하던 기억들은
기어이 나를 울리는데

여기쯤인가
사북에서 나전으로 이사 간
너를 처음 찾아 가던 날

폭우가 내려 끊어진 길에
떨어진 꽃잎 밟으며
강 따라 옮기는 걸음걸음엔
발걸음이 가벼웠건만…….

이 십 리 길을 걸어 나전에 도착하니 그녀가 떠나간 나전에서 나는 갈 곳이 없었다. SK의 자취를 찾아 이리 저리 방황하다 포장마차가 눈에 띄어 들어갔다.

- 어서 오세요.
- 아주머니 소주 주세요.
- 네! 그런데 안주는 뭐로 드릴까요?
- 아무거나 주세요.
- 돼지갈비가 있는데 …….
- 주세요.

나는 홀로 소주를 잔에 따라 마시다 아주머니에게 말했다.

- 아주머니! 제가 노래 한 곡해도 괜찮을까요?

복스러운 아줌마는 말없이 웃는다.

- 너~의 침묵에 메마른 나의 입술 차가운 네 눈물에 얼어 붙은 내 발자국…….

노래를 부르다 문득 이렇게 이별하려고 나에게 이런 노래를 자주 들려주었는가 하는 생각에 참을 수 없는 슬픔이 밀려와 한숨에 잔을 들이키고 또 술을 따라 들이켜고 그렇게 또 잔을 들어 마시려는데 누군가 잔을 빼앗는다. 바라보니 경림이었다.

- 오빠! 그만 마셔,

경림은 나와 같이 원주 기독교 병원에 가려고 수원지로 왔다가 자기와 마주치고도 넋 나간 사람처럼 알아보지 못하고 무작정 걸어가자 나를 따라 나전까지 온 것이었다.

경림을 말없이 바라보았다. 나보고 어떻게 감당하라고 이처럼 맑고 순박한 마음을 주는 것인지……. 그 또한 나는 견디기 힘들었다.

- 경림아 ! 나는 너 보기 싫어 혼자 돌아가.
- 싫어, 같이 가야 해!

완강하게 말하곤 속이 상하는지 소주병을 들어 그냥 막 마시는 경림을 한 참보다 내가 말했다.

- 그래 마셔라, 그래야 내가 죽는 모습을 못 볼 테니까…….

술을 마시던 그녀는 갑자기 멈추더니 말한다.

- 그랬구나! 죽으려고 여기까지 왔구나! 바보와 같이…….

그 말을 듣는 경림을 바라보니 그녀의 눈에 눈물이 흘러내린다..
순간 나는 가슴이 찡해졌다. 술잔을 들었다.

- 이 잔은 경림의 청순한 사랑을 위하여 …….
- 이 잔은 이루지 못한 약속을 위하여 한 잔…….

- 이 잔은 못난 나를 위하여 한 잔…….

그렇게 잔을 들어 마시는 나를 경림은 말없이 지켜보기만 했다. 그러다 의식을 잃은 나의 곁을 경림은 밤새워 지켜 주고 있었다.

나전의 아침 해가 솟아오르고 있었다. 나의 어깨에 기대어 졸고 있는 경림의 얼굴을 보았다. 내가 경림에게 해줄 수 있는 것은 아무것도 없었다. 나는 경림을 떠나기로 했다. SK와 이루지 못한 사랑과 약속의 슬픔이 가득 차 있는 내게 경림의 청순한 사랑이 자리할 곳은 없었다. 경림의 마음을 조금이나마 편하게 해주고 싶었다.

- 경림아!

엷은 미소를 지으며 바라보는 그녀!

- 너를 위해 내가 무엇을 해야 하니?

대답 대신 미소 짓는 경림!

- 경림아! 제천으로 돌아가자.

청순한 사랑을 위하여

며칠째 식사를 거르는 나를 보고 속상해하시던 어머니께서 죽을 끓여 오셔서 말씀하신다..
- 승동아! 네가 갓난아이 때 심하게 앓은 적이 있었다. 앙상하게 뼈만

남은 너를 보고 오죽하면 할머니께서 " 네가 살아나면 인간에 밟혀 죽겠다."라고 하시며 우신 적이 있었단다. 죽어가는 너를 살리기 위해 등에 업고 용하다고 소문난 곳은 안 다닌 곳이 없었다. 그런 너를 두고 살아날 수 있다고 말한 사람들은 단, 한 명도 없었단다. 그렇게 아팠어도 너는 일어났었는데…….

어머니의 애절한 말씀을 듣고 나서야 나는 일어나 수저를 들었다. 억지로 한입 두 입 먹으며 두 눈에 가득한 눈물을 흘리며 수저를 드는 나에게 어머니는 가까이 다가와 살며시 어깨를 감싸 안는다.

- 얼마나 힘드니?

나는 소리 내어 울며 말했다.

- 어머니 죄송해요. 다시는 안 그럴 겁니다.
그날부터 나는 몸을 추스르기 시작했다. 며칠 후 경림에게 전화를 걸었다.

- 커피 한잔 괜찮지
- 오빠! 커피 말고 생맥주 한잔하자.
- 그래, 풍차에서 저녁 7시에 만나자.

생맥주를 한 모금 마시고는 경림에게 말했다.

- 경림아! 나를 좋아하니?

그 물음에 경림은 소리 없이 웃는다.

- 나는 SK를 영원히 잊을 수 없을 것 같아!
- 오빠! 잊으라고 안 해. 잊지 마, 잊으면 안 되지. 하지만 형 나도 솔직하게 말할 것이 있어.
- 뭔데?
- 정말 나 너무 힘들어!
- 무슨 일로?
- 정말 모르겠어?

경림을 조용히 바라보았다.

- 오빠! 어떨 때는 SK가 이 세상에서 사라지라고 간절히 바랐었어. 그런데 그게 지금 마음에 걸려 너무 힘들어!
- 그랬구나…….

경림의 눈가에 눈물이 고였다. 나는 경림의 두 손을 살며시 감싸 쥐었다.

- 경림아! 괜찮아. 그래서 그런 것이 아니야!
- 오빠……!

경림의 청순한 사랑을 위해 내가 스스로 떠나야 할 것 같다는 생각이 들었다. 일단 나는 도복을 입기로 작정했다.

- 경림아! 내일부터 나, 도복 입을 거야.

- 정말?
- 응

다음날부터 나는 도복을 입고 훈련을 하기 시작했으나 운동이 되지를 않는다. 그렇게 하루하루를 허송세월하고 있는데 경림의 정성은 정말 눈물겨웠다.
하루에도 몇 번씩 전화하고 운동시간이 되면 또 찾아와 말없이 지켜보곤 하였다.

제62회 전국체전 충북 대표선발전에서 훈련이 부족한 나는 상대들과 치열한 접전을 펼쳐야 했다.
전국체전에서 연속 입상한 경력이 상대들을 신중하게 만들었고 매 경기 살얼음판을 디디는 것 같았다.
결승전에서 상대를 이기고 나니 나의 몸은 엉망이 되어 있었다.
충북체육관을 나서며 찌는 듯한 무더위에 나는 짜증이 났다.
내가 왜 이래야 되는가?
시합은 해서 무엇 하는가? 영광? 명예?
다 부질없는 것이라는 생각이 들었다.

경림을 위해 도복을 입겠다고 한 나는 얼마나 위선자인가. 차라리 나를 위해 도복을 입어야 맞는 것이 아니겠는가? 나는 내가 싫어졌다.
한동안 경림을 피했다.
전화가 와도 받지 않고 찾아와도 만나지 않았다. 그런 가운데 시간을 흘렀고 전국체전에 출전한 나는 충북 임원들이 우승을 예상했으나 첫 경기에서 패하고 제천으로 돌아왔다.

80년 10월 26일! 지나간 추억이 떠오르는 가운데 내가 태어나고 자란 노루골 자락에서 도복을 포개어 놓고 불을 붙였다. 그리고 SK가 보내 준 수백 통의 편지를 하나하나 읽으며 나는 못 견디게 그리워지는 그녀의 체취를 맡으려 애쓰며 한 통 한 통 가슴에 안았다가 타 들어 가는 도복 위로 편지를 내려놓았다.
타오르는 불길 속의 도복과 편지들!

- 그래 타라! 훨훨 타라! 타고 타서 나의 그리움과 아픔들을 모두 태워라!

저녁에 도장 앞을 지나가는데 경림이 기다리고 있었다. 할 말이 있다는 경림을 따라 청요릿집으로 갔다.
팔보채와 고량주를 시키는 경림!

고량주를 한잔 마시니 속이 화끈거린다.

- 오빠! 한마디만 해주면 안 돼!

나는 경림을 힘없이 바라보았다.

- 기다리라고 한마디만 해주면 안 돼!

그녀의 두 눈에 눈물이 고이더니 이내 흘러내린다.
그 모습을 보니 마음이 아파져 왔다.
나도 모르게 눈물이 났다.
대답 대신 나는 고량주를 한잔 더 마셨다.

- 형은 정말 나빠!

나는 말 없이 또 한잔 마셨다.
그녀의 눈물이 너무 가슴 아리게 다가와 다시 또 한잔! 그러다 일어서며 말했다.

- 경림아! 고마워, 하지만 나의 가슴에 너의 고마움보다 더 큰 슬픔이 크게 자리하고 있어. 그래서 나는 떠나야 해! 경림아! 미안해, 청순한 너의 사랑은 영원히 간직할게.

말을 마치고 나는 조용히 일어서 돌아섰다.
그런 나를 보고 손으로 입을 가리며 소리 죽여 우는 경림!
옮기는 나의 발걸음이 너무 무겁다.
이제 경림과도 이별인가.
왠지 모를 슬픔의 눈물이 난다.
제천 시내가 어두웠다.
하늘을 보니 달도 별도 없다.

기적소리가 나의 졸음을 깨운다.
비가 내리는 가운데 나를 실은 군용열차는 제천을 떠난다.
차창을 바라보니 우리 집이 보인다.
떠오르는 얼굴들…….
왠지 진한 아쉬움이 남는다.
이것은 그리움일까? 아니면 허무함일까?
나는 차창에 흘러내리는 빗물을 보며 혼자 중얼거렸다.

- 그래! 나의 열정, 나의 청춘, 나의 사랑, 이 모든 것 조국의 품에 바치는 거야.

어둠 속 홀로 서 있노라면 그리움이 밀려온다.
그리움!
그것은 되돌아갈 수 없는 순간들이다.
되돌아갈 수 없는 수많은 시간들을 뒤로 나는 걸을 뿐이다 .

약속은 지킬 때 더욱 아름답다.
그러나 이루지 못한 첫사랑의 약속은
서산에 검붉은 구름이 수놓은 노을처럼
되돌아갈 수 없는 처절한 아름다움을 머금고 있다.
그것은 고독이 스며드는 진한 그리움이다.

제 2부 길을 찾아서

1. 유월의 장미

(제천 최초의 여자국가대표선수 김병희 선수)

1990년 6월 9일!
제천에서 병희 어머니와 수련생들이 응원하러 온 가운데 치러진 전국중, 고등학교태권도선수권대회 여중부 페더급 결승전!
 하루 밤사이에 체중을 약 2kg가량 감량한 병희는 처음 출전한 전국대회 결승전에도 불구하고 침착하고 신중하게 경기에 임하고 있었다.

1회전에서 병희는 1:0으로 앞선 가운데 코치석으로 왔다. 나는 병희에게 주문했다.

- 병희야! 상대가 높은 발차기를 잘하니 공격보다는 속임 동작으로 공격을 유도해서 받아 차고 옆으로 피해야 해!

대답 대신 고개를 끄덕이며 경기장으로 들어서는 병희!

2회전 중반! 몇 번이 받아 차기가 성공하자 병희는 자신이 생겼는지 어느 순간 정면으로 들어가다 상대의 오른발 들어 찍기에 얼굴을 강타당하고 다운이 되었다. 다운당한 병희가 일어나며 나를 쳐다보았다. 순간, 풀어진 병희의 눈동자와 마주친 나는 다급한 마음에 의자에서 벌떡 일어나며 외쳤다.

“일어나 자세를 잡아!”

1985년 봄 수련생들을 지도하고 있던 나는 몇 일째 도장에 와서 말없이 바라보며 구경을 하는 맑고 불타는 눈동자의 소녀를 보았다.

그렇게 사흘째 되던 날!
소녀는 어머니와 함께 왔다.
옆에 있던 병희 어머니가 말씀하였다.

" 병희가 제천에 있는 태권도장을 다 구경하고 나서 사범님께 배우겠다고 하네요. 잘 부탁드립니다."

병희 어머니의 말을 듣고 나는 병희를 쳐다보았다. 야무지고 당차게 생겼다는 느낌이 들었다.

나중에 안일지만 소녀는 제친의 모든 태권도장을 그렇게 돌아다니며 운동하는 모습을 살펴보고 나서 나를 스승으로 선택한 것이었다. 병희가 초등학교 3학년 때의 일이었다.

간신히 일어선 병희가 나를 쳐다보았다.

- 붙어서 잡아

손으로 잡는 동작과 함께 소리치자 병희는 상대를 붙잡았다.
주심이 가차 없이 경고를 선언한다..

- 나는 괜찮아 한 번 더!

두 번의 경고를 받고 2회전을 마치니 감점 1점에 점수는 2:1로 병희가 앞서고 있었다. 나는 병희에게 정면으로 들어가지 말고 속임 동작을 주고 오른쪽으로 빠졌다 차라고 주문했다.

3회전 들어 병희는 의외로 침착하게 경기를 잘 풀어갔다.
점수 차가 벌어지기 시작하자 철산 여중 코치는 소리소리 지르며 독려하다 그만 의자에 힘없이 주저앉았다.

경기를 마치고 병희의 팔이 올라가며 우승이 결정되었다.
병희가 활짝 웃으며 달려왔다.
병희의 호구를 풀어 주는데 갑자기 콧등이 찡해지면서 나도 모르게 눈물이 맺힌다.

국기원 경기장을 나오자 자신이 그토록 하고 싶었던 태권도선수의 꿈을 이룬 병희 어머니가 내 눈에 눈물 보고는 이내 눈물을 머금으며 인사를 한다.

- 사범님! 고맙습니다.

그제야 나는 아! 우승했구나 하는 실감이 들었다.
가슴 한가운데에서 복받치는 서러움이 사라지며 희열이 솟아올랐다.

준결승과 결승전을 앞두고 서울로 향하면서 나는 관장님께 사직서를 제출하고 병희를 데리고 국기원으로 상경했다.
일반 수련생들을 지도하지 않고 후배에게 지도를 맡기고 병희를 데리고 가는 것을 안 관장님이 반대하셨기 때문이었다. 그러나 체중이 약 2kg을 초과하는 병희를 어머니가 관리할 수 없는 상황이라 할 수 없이 내가 관리를 해야 해서 함께 서울 대회장에 가야 했기 때문이었다.

국기원 뜰을 거닐었다. 제자들의 전국대회 우승을 위해 쏟았던 열정과 지난 6년의 세월이 스쳐 갔다.

국기원 정원에 있는 활짝 핀 장미꽃이 눈에 들어왔다.
여름의 열기를 가라앉히려는 듯 한바탕 스치고 지나간 소나기에 물기를 머금은 장미꽃잎이 수줍은 새색시처럼 나를 반겨 주는 것 같았다.
장미꽃을 바라보다 눈물로 인해 앞이 흐려지고 있는데도 불구하고 기분이 좋아서 자꾸만 웃음이 나왔다.

한 송이 장미꽃을 꺾어 가슴에 꽂고 국기원 장내로 들어가니 응원 온 제자 중 누군가 말한다.

- 사범님 이제 장가가시겠네요?

옆에 있던 혜숙이가 말했다.

- 사범님! 장미가 너무 이뻐요.

나는 말 없이 장미꽃을 바라보다 혜숙이에게 다음 대회에서는 네가 우승할 차례야 하며 장미꽃을 주었다.

장미꽃을 받아 든 혜숙의 얼굴이 붉게 상기되며 눈동자에 빛이 나고 있었다.

2. 입문 그리고 선수 생활

어릴 때부터 내성적이고 몸이 약했던 나는 1969년 3월 초에 아버지의 손에 이끌려 무덕관에 입문하였다. 당시 제천에는 한무관과 무덕관이 있었는데 한무관은 정익진 사범이 1958년 3월에 개관하였고 무덕관은 철도인을 중심으로 조원제 관장님(당시 6단)과 김원동 사범님(5단)이 지도하는 태권도장이었다.

입관하면서 누구보다도 강하게 지도해 달라는 아버지의 주문 덕분에 나는 또래의 다른 수련생보다 더욱 고된 수련을 해야 했다. 어떤 동작이든 기본이 삼 일이었다.

주먹 쥐는 것 만 삼일, 기마서기(현재 주춤서기)만 이삼일, 전굴 자세(앞굽이)만 삼 일, 앞차기만 삼 일……. 나는 사범님께서 왜 이렇게 지겹게 힘들게 가르치시는지 이해하지 못했다. 무엇보다도 악몽인 것은 낙법이었다. 당시 우리 도장은 남당초등학교 앞 다리 건너 지하였는데 바닥이 진흙이 섞인 흙바닥이었다. 그 흙바닥을 매일 빗자루로 쓸고 걸레로 닦는 바람에 반질반질한 상태였으나 땀을 흘리면 미끄러웠다. 그러면 가마니를 자른 다음 펴서 깔고 수련하였다. 그 흙바닥에서 전방낙법, 후방낙법, 측방낙법을 하고 나면 온몸이 쑤시고 결려 참으로 힘들었다. 하지만 나는 아버지의 꾸중이 무서워 어머니의 치맛자락에 눈물을 쏟으며 꾹 참고하는 수밖에 없었다.

1970년 5월 대한태권도협회 초단(이 당시는 국기원이 없었다. 국기원은 1972년 중앙도장으로 개원한 이후 1978년 10대 관을 통합하였다.)으로 승단 후 처음 시합에 출전한 것은 남당초등학교 6학년 때였다. 하지만 관이 다른 코치는 5명이 출전하는 단체전 구성원에 넣어 주지 않아 후보로 대기하며 경기에 뛰지 못하고 제천중학교에 진학했다.

중학교에 진학하자 초등학교 때 친했던 익경 이와 같은 반이 되었고 여러 초등학교에서 모이다 보니 학생들 사이에 주도권 다툼이 심했었다.
내가 태권도를 해서인지 싸움깨나 한다는 아이들이 맞짱을 뛰자고 시비를 많이 걸어왔었지만 나를 이길 만큼 강한 아이들은 없었다.
그런 탓에 싸움이 있은 다음 날마다 등교하면 담임선생님께서 나와 익경이를 불러내어 야단을 치셔서 혼이 나곤 하던 어느 날! 하키를 담당하던 체육선생이 갑자기 교실로 들어왔다. 별명이 미친개라고 불리는 체육선생님이라 모두 숨죽이고 바라보는데 갑자기 선생님이 나를 호명했다.

- 박승동이 누구야 앞으로 나와!

엉겁결에 교단으로 나가니 선생님이 구령을 붙인다.

- 기마서기
- 중단 지르기 하나, 둘 셋

구령을 붙이며 주먹의 속도와 급소를 제대로 지르는지 살펴보신 선생님께서는 말했다.

- 정통이구나. 됐다. 너 시합에 나가라.

나는 그렇게 얼떨결에 발탁이 되어 태권도경기에 출전하게 되었다. 그러나 태권도장에도 나가지 않고 시합에 출전하기 이틀 전에 학교 체육실에서 몸만 풀다 알이 밴 채 나가는 시합에 좋은 성적이 나올 리는 없었다. 하지만 워낙 실전(제천의 특성상 싸움을 많이 했었다)에서 다져진 탓인지 1등은 못했어도 늘 입상권에는 들었다. 하지만 우승을 하기 위해서는 체계적으로 훈련할 필요성을 느끼고 친구의 형이 운영(제천여고 근처)하는 무덕관(태권도장)에 나가기 시작했다. 그러던 중 친구의 형이 태권도장을 반으로 막고 반은 황보 정남 씨에게 합기도장을 임대하였다. 그 덕분에 나는 자연스럽게 합기도를 접할 수 있었다.

1975년 제천고등학교에 진학하여 학업과 태권도를 병행하고자 하였으나 학교에서는 연습할 장소가 없어서 당시 교감으로 계시는 정철진 선생님의 형이 운영하는 제천체육관 (한무관) 에서 수련생들이 수련하기 전에 2시간 동안 빌려서 훈련하게 되었다. 그러나 코치 없이 훈련하다 보니 태권도부 선수들이 하나둘씩 잘못되어 모두 퇴학이 된 후 홀로 남게 되었다. 그러다 보니 학교에서는 대회 참가신청서며 선수등록 등 행정에 관해 아무런 조치를 해주지 않아서 할 수 없이 나는 고등학교 2학년 때부터 직접 선수등록 신청서와 대회 참가신청서를 가지고 청주로 들렀다가 서울 대한태권도협회로 다녀야 했다. 그런 나를 충북태권도협회 임원들께서는 대견스럽게 보아 주셨는데 충북협회 임원들은 청주에 들러 다시 서울로 가는 나에게 용기를 잃지 말라며 격려를 해주곤 하였다.

이 시기(1975~7년 사이)에 나는 기술적으로 발전을 이룬 중요한 계기 있었다. 그것은 충주에서 태권도대회를 개최하였는데 태껸[2]을 배운 수련생들이 태권도대회에 참가한 것이다. 하지만 호구를 차고 하는 시합이어서인지 태권도선수가 거의 다 우승을 하였다. (내 생각에 신한승씨는 승패에 상관없이 태껸의 실전성을 연구하셨던 것 같다) 그 대회에서 나는 태껸 수련생들이 구사하는 특이한 기술을 발견했다. 그것은 발로 공격하는 상대의 발을 막는 기술이었다. 이 기술을 신한승 씨에게 질문하니 미소를 지으며 말하길 "태권도에 자네처럼 연구하는 학생이 있어 희망적이라"라며 "막음다리"라고 설명하며 덧붙여 태권도 시합에도 쓸 수 있는 것 중에 정강이 차기라는 것도 있는데 태권도선수들은 발을 많이 쓰니 이 기술로 상대의 발을 막으면 효과적일 것 같다는 설명도 하여 주었다.

이 두 가지 기술과 또 하나는 이소룡의 격투 기술 중의 하나를 나의 것으로 만든 일이다. 나는 77년 봄에 이소룡과 만났다. 물론 영화를 통해서.

영화 제목이 정무문으로 기억하는데 이소룡의 격투 장면에서 나는 그가 오른발을 앞에 놓고 앞에 있는 발로 상대를 가격하는(복싱에서 잽과 같은) 것을 보고 상당히 효과적인 기술이 될 것

2) 이 당시 택견이라는 명칭은 없었고 태껸이었다. 택견은 신한승 선생이 충주 창무관 김용 관장이 추천한 태권도 사범에게 송덕기 옹을 소개받아 충주에서 서울을 오가며 태껸을 전수 받고 충주의 태권도장에서 제자들을 지도하며 연구하던 시기이다. 이후 택견은 문화재청의 요청으로 유도와 태권도의 기술체계를 벤치마킹하여 체계를 잡고 제출하여 1987년 택견으로 명명하고 송덕기 옹과 신한승 옹이 1호 기능보유자로 지정되었다.

같아 연구하였다. 그리고 나는 그때부터 앞에 있는 발로 공격하는 상대를 태껸의 막음 다리와 정강이 차기를 변형시켜 공격과 방어로 연결하는 기술들을 연습하였고 실제로 시합에서 앞발을 사용하고 또 발로 상대의 무릎이나 허벅지를 밟고 상대의 얼굴을 공격하는 기술을 구사하니 상대에게 잘 먹혀들어 각종 대회에서 우승을 많이 하였다.

자신이 붙은 나는 태권도장 외에 타 무술 도장으로 다니며 정중하게 예의를 갖추고 배우고 싶다며 타 무술의 유단자와 대련을 많이 가졌으나 나는 한 번도 진 적이 없었다.

<영화배우 이소룡>

3. 나의 길을 가련다.

1981년 제61회 전국체전을 방황 속에 마치고 그녀와 이루지 못한 약속을 가슴에 묻고 나는 다시는 태권도를 하지 않겠다며 도복을 불태워 버리고 군에 입대하였지만, 우연히 태권도 측정에서 측정 관들의 눈에 발견되어 태권도 교관들을 지도하는 사범단에 합류하여 지도하게 되었다. 군에서 태권도 교관들은 부사관이 대부분이었고 가끔 병장이나 상병이 들어오기도 했다.

군 생활을 마치고 나는 나의 길을 가기 위해 지난 시간을 한 번쯤은 돌아볼 필요성을 느끼고 1984년 6월 사북의 태권도장에서 탄광촌의 아이들을 지도하며 지난 시간을 되돌아보았다.

시간이 날 때마다 나는 사북초등학교 운동장을 거닐며 처음 그녀를 만났던 순간을 되돌아보니 그리움 속에 눈물밖에 나오지 않는다.

8월이 지나갈 무렵 나는 제천으로 돌아왔다. 그리고 뜻한 바 있어 아버지를 뵈었다.

“드릴 말씀이 있습니다.”
- 그래 앞으로 어떻게 할 생각이니?-

-…….-

- 제천시청에 복직해라-
- 죄송합니다. 아버지! 저는 저의 길을 가겠습니다.-

한참을 아무런 말씀이 없으시던 아버지께서는 말씀하셨다.

- 음! 그렇다면 너의 길을 가거라. 내가 보기에는 그 길이 힘든 길일 것 같다. 어떤 상황에서도 정도를 지키며 흔들림 없이 가거라.-
-명심하겠습니다. 아버지!-
그렇게 나는 아버지에게 허락을 받고 도장을 열려고 했으나 평소 많은 조언을 해 주던 선배 한 분의 간곡한 부탁에 건물 자리를 양보하고 정익진 관장을 제2의 스승으로 모시고 1984년 10월 지도자의 첫 발걸음을 내디뎠다.

정익진 관장께서는 관을 초월하여 진정한 태권도인을 육성하시겠다며 나를 후계자로 지목하고 수련생을 지도하는 법과 사회생활 특히 무도인으로서 지켜야 할 덕목들을 자상하게 가르쳐 주셨다. 특히 태권도인들은 경제적으로 자립이 되어야 좋은 지도를 할 수 있다며 노름과 보증 같은 것을 서지 말고 늘 검소한 생활을 강조하셨다. 그런 가운데 나는 일반 수련생들을 지도하며 제천의 모든 중고등학교 선수들을 모아 정익진 관장의 허락하에 제천체육관에서 무료로 지도하기 시작했다.

그러나 전국대회의 벽은 높았다. 출전하는 대회에서 입상하지 못하게 되자 동계합숙의 필요성을 느껴 훈련을 계획하고 친구인 박상규 사범의 후원과 선수들의 자발적인 훈련비 그리고 나의 사재를 모아 동계합숙 훈련을 하면서 훈련이 끝난 저녁에 두 시간씩 공부를 병행시켰다. 그러던 중 선수들에게 정신력 강화훈련을 시키기로 하고 한밤중에 숙소 앞으로 선수들을 모두 집결시켰는데 엄청난 눈이 쏟아지고 있었다. 살펴보니 선수 중에는 두껍게 옷을 입고 나온 선수 몇이 눈에 띄었다.
나는 속으로 회심의 미소를 지으며 말했다.

" 지금 나는 너희들의 정신력을 보기 위해 이 자리에 섰다. 지금부터 의림지까지 선착순이다."

웅성거리는 선수들에게 가벼운 준비운동을 시킨 다음 의림지로 향했다.

선수들과 달리면서 사랑의 힘은 정말 대단하다고 생각되었다. 그렇게 폭설이 내리는 깊은 한밤중에도 청춘남녀 몇 쌍이 데이트를 즐기고 있었다.
참으로 남녀 간의 사랑은 국경도 초월하고 시공도 초월하고 시와 때를 가리지 않는구나 하고 생각하며 사랑의 유희를 지켜보며 선수들을 기다리는데 선두와 꼴찌 간에 30분이 넘게 차이가 났다. 그냥 넘어갈 수 없다는 생각에 나는 팬티만 입고 모두 꽁꽁 언 의림지 얼음 위로 집합을 시켰다. 머뭇거리는 선수들 앞에 내가 먼저 옷을 벗고 팬티 차림으로 얼음 위에 나가 서자 사태를 짐작한 제자들은 앞 다투어 옷을 벗고 눈이 쌓인 의림지 얼음 위로 들어왔다.

그런데 창원이가 들어오지 않고 있어 물었다.

-너는 뭐하냐-
-팬티를 안 입었는데요-

주장인 MK가 그걸 보고는 소리친다.

- 야! 싹 벗고 빨리 들어와-

창원이는 할 수 없이 옷을 모두 벗고 들어왔다.

옷을 홀랑 벗고 눈 내리는 한밤에 선수들과 땀이 나도록 뛰고 소리치는 창원의 모습!
특히 앞으로 취침하는 동작에는 정말이지 배가 아파 봐 줄 수가 없었다.
웃음을 억지로 참으며 구령을 붙이는 내가 너무도 우스웠는지 모두 인상이 이상하다. 하지만 누구도 분위기상 웃을 수가 없었다.

눈 내리는 한밤에 웃음을 참고 일그러지는 선수들의 얼굴을 보며 나는 운동시킬 마음이 없어지려는 그 순간! 갑자기 ' 쩡 ' 하는 소리가 들리며 바로 나의 발밑으로 손가락 굵기의 금이 가면서 얼음이 갈라졌다. 순간, 앞을 보니 그 짧은 시간에 제법 높은 둑 위로 모두 올라가 있었다. 어이가 없어 쳐다보니 준호가 말한다.

"사범님 얼른 나오세요"

그러나 두껍게 얼은 얼음은 금만 갔을 뿐이었다.
다시 얼음판 위로 정렬한 선수들에게 말했다.

- 이런 의리 없는 놈들! 하지만 너희들의 순발력은 정말 대단하다 이런 정도라면 전국대회 우승감이니 나는 너희들을 믿는다. 너희들 중 누군가 전국대회에서 우승하면 내가 장가를 가리라-

<눈 덮인 의림지>

4. 正의 覺

1986년 봄날!

수련 중 휴식시간에 수련생 한 명이 일어나 질문을 한다.

- 사범님! 태권도가 뭐예요?-

갑자기 묻는 말에 나는 답했다.

- 跆는 발로 밟을 태를 뜻하고 拳은 주먹을 뜻하며 道는 길을 말하는데 이것을 합쳐서 태권도라고 한다.
태권도는 몸을 단련하고 정신을 수양하는데 그 참뜻이 있다-

그러자 초등학교 1학년인 현성이가 다시 묻는다.

- 정신 수양이 뭐예요-

둥근 보름달이 뚝 떨어져 나의 뇌리를 강타하는 것을 느꼈다.
나는 갑자기 큰 벽에 부딪힌 듯 답답해졌다.
태권도경기에 출전하여 금메달을 따는 게 태권도인가?
품새를 잘하는 게 태권도인가?
발차기를 잘하고 격파를 잘하고 여러 명을 해치우는 게 태권도인가?
예절을 잘 지키는 게 태권도인가?
이게 아닌데 하는 생각 끝에 이후 놀랍게도 나는 처음으로 태권도란 무엇인가? 하는 것에 사로잡혀 방황하기 시작하였다.

몇 날 며칠 밤을 지새우며 태권도 교본과 무술 서적을 보며 씨름하고 생각해도 답답하고 혼란스러움이 더해 가기만 했다.
나는 나의 한계에 부딪혀 고민하면서 내가 할 수 있는 온갖 미친 듯한 행동은 다 해야 했다.

그러던 중 경복서점에 들렀다가 우연히 최영의 극진공수도의 교본을 보게 되었다. 그것은 한마디로 충격이었다. 전굴! 후굴자세, 기본형! 평안형! 책을 덮었다.

배달 최영의!
그분을 나는 태권도인(이것은 대야망 이라는 만화 탓이기도 하다)으로 잘못 알고 있었다. 그러나 그분은 태권도인이 아니고 무도의 한 일가를 이룬 극진공수도의 창시자라는 것과 자기 무도의 세계화를 위해 일본으로 어쩔 수 없이 귀화한 재일동포라는 것을 알게 되었다.
배달 최영의는 1967년 최홍희의 설득으로 태권도와의 통합을 결심하고 한국에 왔지만 한국 태권도계가 분열된 현실에 실망하고 극진 공수도의 세계화를 위해 일본으로 귀화했다고 한다.

한국인으로서 차별이 심한 일본에서 인간의 극한 상황을 극복한 수련과 세계의 여러 무술과 격투하여 실전에서 검증된 기술로써(타 무술의 장점을 받아들여) 창시한 극진공수도의 교본에 나오는 기술들이 어떻게 내가 배운 태권도와 흡사한 기술체계를 이루고 있는 것일까?

혼란스러운 일이었지만 분명한 것은 내가 선수 시절 구사하였던 기술들은 극진 공수도의 격투 기술과는 많은 부분이 달랐다는 것이다.

<배달 최영의 관장>

그것은 최소한의 규칙이 있는 상황에서의 보호대 없이 치루는 대결과 복잡한 규칙을 정해 놓고 보호대를 착용하고 살상을 최소화하여 점수로 승패를 나누는 태권도 경기(현재의 아마추어)

와는 많은 차이점이 있게 마련이다. 그것이 극진 공수도와 태권도의 차이점이라는 생각이 든다.
(지금의 태권도 경기력과 기술은 파괴력만 갖춘다면 인간 할 수 있는 가장 화려하고 다양한 기술로써 타 무술을 제압할 수 있는 가장 뛰어난 기술체계를 이루고 있다고 나는 자부한다.)

그분은 태권도인이 아니지만 나는 님의 길을 동경했다.
그것은 역사 이전에 사람의 한계를 뛰어넘기 위한 피눈물과 땀의 처절한 수련과 실전을 통한 무도의 완성은 곧 인격의 완성이라는 그분의 무도 철학은 나를 우물 안에서 나오게 만들어 주었다.

이러한 방황 속에 나는 또 한 번의 현실에 부딪혔다.
그것은 초등학교에 다니는 순기가 갑자기 이런 질문을 하는 것이었다.

- 사범님! 예수님 믿어요, 부처님 믿어요.-
대답을 못 한 나는 미소를 지을 수밖에 없었다.

태권도와 종교!
이 문제에 있어 나는 사범으로서 어떤 주도권(Hegemonie)을 가지고 있어야 하는가? 또 답답해진다.

태권도란 무엇이며
태권도를 통한 나의 삶은 무엇인가?
태권도에 있어 眞理(진리)란 무엇인가?

태권도의 완성은 무엇을 위한 것인가?

태권도에 있어 올바른 (正) 깨달음(覺)은 무엇인가?
나아갈 길이 보이지 않는다.

동해의 검푸른 바다 위로 떠 오르는 붉은 태양을 보며 나는 SK와의 약속을 목숨을 걸고 지키고자 했듯이 보다 큰 것에 또 한 번 목숨을 걸고 길을 찾아 나서야 한다고 생각했다.

5. 지선과 만남

거리의 가로수에 스치는 찬바람이 잎새를 떨구는 1986년 늦가을!

구름이 드문드문 떠가고 동편 하늘에는 초승달이 걸려 있는 어둠이 내려앉는 초저녁이었다.

승급 심사를 마치고 모처럼 초저녁 거리를 방황하는 나를 따라 지도사범을 하고 있는 영배는 좋아하며 나선다.
오랜만에 시내를 걸어가니 늘 지나다니는 거리인데도 또 다른 세계 인 듯하다.
영배와 남천동 천주교 성당을 지나 한산사 앞을 막 지나는데 스님 한 분과 눈길이 나와 마주쳤다. 내가 가볍게 목례하자 스님은 허리를 깊이 숙이며 합장을 한다.

-나무관세음보살!-

그 모습이 마치 나의 무례함을 깨우쳐 주는 듯하여 잠시 멈추어 서며 말을 건넸다.

- 가득 차지 않은 초승달을 따라 걷는 중입니다.-

스님이 답을 했다.

- 저는 지나는 객입니다.-

나는 왠지 스님과 이야기가 나누고 싶어졌다.

- 실례가 안 된다면 차를 한잔하실 수 있는지요.-

스님이 잠시 생각을 하더니 응한다.

- 그러지요. 저도 객이니 나가시지요.-

스님 나 영배 순으로 나란히 서서 시내로 걸어 나가는데 택시가 서로 엇갈려 간신히 지날 수 있는 좁은 코너에서 갑자기 차 한 대가 휙 돌아 나타났다. 깜짝 놀라 아무 생각 없이 옆으로 피하는데 안쪽에 있던 스님의 피하는 몸놀림이 나의 몸놀림보다 더 빠르다고 느껴졌다. 은근히 놀란 나는 걸어가며 말했다.

- 스님! 수련하고 계신 것이 있으십니까?-

스님이 빙그레 웃으며 말한다

- 특별히 수련하는 것은 없고 산속 생활을 하다보니 민첩성 이랄까?-

프라도로 들어간 영배와 나는 커피를 마시고 스님은 우유를 마시겠다고 했다.

- 왜? 스님이 되었습니까? -
- 그 해답을 얻고자 수행 중입니다.-

나는 스님의 번뇌가 나보다 깊을 것 같다는 생각을 했다.

- 그 해답을 얻어 무엇 하려고요?-

내가 물었다.

- 시주께서는 무엇 때문에 달을 따라 걸었습니까?-

대답 대신 나는 웃었다. 그러자 스님은 오늘 밤은 우리들 이야기로 초승달을 채우자며 한산사로 다시 가자고 한다. 그러자 영배는 흥미가 없는지 약속이 있다며 인사를 하고 갔다.

스님의 법명은 지선이라고 했다. 만행을 하는 중이라 했다.
지선은 결가부좌를 하고 나는 반가부좌를 한 채 자리에 앉았다.

내가 먼저 말문을 열었다.

-저에게는 사랑하는 사람이 있었지요.-

지선은 말없이 미소를 짓는다.

-가슴에 묻어 두는 것이 힘이 듭니다.-

또 미소를 짓는다.

- 그녀를 위해 목숨을 걸고 태권도를 수련했었습니다.-

또 미소를 지을 뿐 말이 없다. 나도 따라서 웃었다. 그러자 지선은 말한다.

-아름다운 이야기군요.-
-저는 지금 방황하고 있습니다.-
- 무엇 때문에 방황하지요? -
- 처음에는 그녀와의 약속을 지키지 못해 괴로웠는데 지금은 저의 한계에 괴로워하고 있지요.-
- 어떤 한계를 괴로워하십니까? -
- 태권도가 저를 고통스럽게 만듭니다.-
- 방황의 괴로움이 크면 클수록 큰 깨달음을 얻을 수 있습니다.
-

그 순간 나는 빛을 보았다.

- 인연의 신비로움이 삶이랍니다. 박사범님께서는 이별의 아픔보다는 지난날의 기억들을 더 그리워하는 것 같습니다.-

나는 그럴지도 모른다는 생각이 들어 쓴웃음이 나왔다.

- 여자는 꽃입니다. 모든 꽃이 저마다 풍기는 아름다움이 다르듯

여자도 나름의 매력이 모두 다 있습니다.
- 스님도 사랑을 해 보셨습니까?-
- 세상에 태어나서 사랑해 보지 않은 사람이 어디 있겠습니까?

잠시 눈을 감고 입가에 엷은 미소를 짓던 지선은 말했다.

- 괴로움이 있으면 그것을 끊기 위해서는 마음의 집착을 버려야 겠지요.-
- 고집멸도(苦集滅道)를 말씀하십니까?

대답대신 지선은 미소 지으며 나를 바라본다.

- 박 사범님께서는 부처님처럼 맑은 어린 수련생과 함께 가시니 큰 깨달음을 얻으실 것이라는 생각이 듭니다. 큰 번뇌와 마주치면 그들과 함께 가세요.-

갑자기 눈물이 나왔다.
그렇구나! 나에게는 함께 갈 그들이 있었구나.
나의 목숨을 바쳐도 될 그 들이…….

지선은 나에게 다시 묻는다.

- 태권도가 무엇입니까? -

나는 대답했다.

- 지금 행하고 있지 않습니까? -

그러자 지선이 소리 내어 웃는다.
한산사가 떠나가라고 나도 따라 웃었다.

저녁 8시 조금 넘어 시작된 대화가 어느덧 자정이 되어 일어서는 나에게 지선스님은 말한다.

- 착한 일 많이 하세요. 인연이 있으면 또다시 만나겠지요.-

한산사를 나와 길을 걸으며 기쁜 마음의 한 가운데에서 묘한 슬픔이 짓누르는 것을 느끼며 나는 나를 반성했다. 그것은 이야기를 나누는 내내 결가부좌를 한 채 한 치의 흐트러짐 없는 지선스님과는 다르게 태권도 사범이라고 하는 나는 결가부좌도 아닌 반가부좌의 자세로 고통을 못 이기고 몇 시간밖에 안 되는 대화 속에 서너 번이나 자세를 고쳐 앉았다.

목숨 걸고 태권도 수련을 했다는 내가……. 이제야 나는 깨닫는다.

'나에게 忍(인)은 있을지언정 耐(내)가 없었음을…….'

그렇다.
참는 것은 누구나 할 수가 있다.
힘든 것보다 힘든 것이 견디는 것이다.
올바른 깨달음을 위하여

무엇보다 나는 견디는 것을 배워야 한다고 깨달았다.

지선스님은 그렇게 나에게 참다운 인내를 가르치는 인연 속에 한 줄기 빛을 주고 떠나갔다.

空手來 空手去(**빈손으로 왔다가 빈손으로 간다.**)

6. 버들 꽃

새벽의 봄바람을 맞으며 뛰어가던 나는 멈추어 서서 버드나무를 바라보았다. 모진 추위와 눈보라를 견디며 바람에 휘날리던 버드나무 가지는 푸르스름하게 물이 올랐는가 싶더니 어느새 버들강아지 목을 내밀고 꽃을 피우고 있었다. 손으로 가지를 잡고 버들꽃의 향기가 어떤가 맡으려고 코앞으로 가까이 당기는 찰라! 온 세상이 빛으로 가득 차는 것을 느꼈다. 그리고 이어진 형용할 수 없는 환희! 그렇게 나는 87년의 봄을 시작하고 있었다.

도장에 일찍 나와 도복을 갈아입는데 도복이 더욱 정답게 느껴진다.
빛바랜 낡은 검은 띠를 잠시 바라보았다. 내가 보아도 낡은 검은 색이다. 그러나 새롭다.

나는 힘찬 기합 소리와 더불어 수련생들과 함께 흠뻑 땀을 흘리고 나서 그들과 마주 앉았다.
기섭이가 말한다.

- 사범님! 사범님도 땀을 흘리시네요.-

내가 대답 대신 살짝 미소지으니 용기가 났는지 다들 한마디씩 한다. 돌아보니 어린 그들이 마치 버들강아지 같았다.

- 너희들 양화(楊花)라고 아니?-
- 몰라요-

- 양화는 버들꽃이야.-
- 버들 꽃이 뭐예요?-
- 버들강아지라고 알지.-
- 네 -
- 그거 보면 꽃이 피어 있어! 너희들이 꼭 버들강아지 같아. 태권도 하는 너희들이……. 태권도가 뭔지 아니-

누군가 자신 있게 말한다.

- 태권도는 몸을 튼튼하게 하고 정신을 수양하는 운동입니다.-

맞는 말이다.

- 그렇지, 그런데 정신 수양이 뭐지?-

그렇게 되물으니 모두 조용히 꿀 먹은 벙어리다. 허허 참! 그렇게 물으면 사범인 나도 대답을 못 했었는데……. 잠시 생각에 잠기며 눈을 감았다. 그리고 잠시 후에 눈을 뜬 나는 몸을 바르게 고쳐 앉으며 말했다.

-- 태권도는 밥 먹는 거다.

그 말을 들은 누군가 반문했다.

- 에이 사범님! 태권도가 밥 먹는 거라니요.-

나는 대답했다.

- 너희들이 태어났을 때 무엇을 먹었지?-
- 엄마 찌찌 먹었지요.-
- 네
- 그래 그다음에는
- 밥 먹었지요.-
- 밥 먹을 때 처음부터 너희들은 숟가락 젓가락을 잘 사용했니?

모두 대답 한다.

- 아니요-
- 그런데 지금은?
- 숟가락으로 밥 잘 먹어요
- 그래, 봐라. 처음에는 못하다가 지금은 잘하잖니. 너희들이 잘 한다고 하는 그것이 숟가락질하는 기술이라고 하는 건데 태권도에 있어 앞차기 아래막기도 기술인데 앞차기를 못 하다가 열심히 연습하면 잘하게 되는 거 있지. 그것을 일러 기술이 늘었다고 하는 거야. 숟가락질도 처음에는 못하다 지금은 잘하잖아. 숟가락질하는 기술이나 앞차기 아래막기가 뭐가 다르지-

그렇게 말한 후에 그들을 살펴보니 어느새 모두 나와 똑같이 반듯하게 앉아 있었다. 그런 그들이 너무나도 사랑스러웠다.

- 그래서 태권도를 밥 먹는 거라고 한 것이란다.
- 그래 그러고 보니 태권도는 어디에도 있구나. 너희들이 화장실

에 가서 똥을 눌 때 바르게 늘 줄 아는 것도 태권도고 교회에 가서 하나님께 기도하는 것도 태권도고 절에 가서 부처님께 기도하는 것도 태권도이다.-

- 그럼 학교 가서 공부하는 것도 태권도네요.-

누군가 말한다.

- 그~럼, 그것도 태권도이고 말고
- 잠자는 것도 태권도인가요?
- 그럼, 잠자는 것도 태권도이지
- 응가 하는 것도 태권도인가요?
- 그럼

나의 대답이 나오자마자 모두 배꼽을 잡고 웃는다.
나도 웃으며 허공을 바라보니 투명한 양화(버들꽃)이 떠다니고 있었다.

이것이 무엇인가? 그렇다. 이것이 진리가 아닐까?
태권도에 있어 진리란 멀리 있는 것이 아니고 생활 속에 있는 것이 아니겠는가.

바른 수련을 통하여 얻어지는 깨달음을 실천하는 생활이야말로 진정한 태권도이리라. 그것이 저 서양의 위대한 철인 Sokrates 가 이야기한 知行合一論**(지행합일론)이 아니겠는가!**
인간의 本質**(본질)은** 理性**(이성)에 있다고 본** 聖人**(성인)은 이성의 기능이 지혜를 찾는데 있다고 하셨다. 그 참된** 知**가 태권도의 수련을 통한 깨달음이리라.**

버드나무 가지가 봄바람에 흔들린다.
버들꽃이 춤을 춘다.

7. 흰 띠

진달래가 곱게 피어 마음이 들뜬 봄날!
말을 더듬고 몸이 말을 잘 안 듣는 규혁이가 입관했다.
흰 띠를 매어 주고 주먹 쥐는 법을 알려 주는데 몇 번을 알려 주어도 주먹 쥐는 것이 잘 안 된다.
다음날 또 주먹 쥐는 것을 알려 주는데 또 안 되는 것이었다.
그러자 규혁이가 속이 상했는지 화가 나서 말한다.

- 사 사 사범님! 저 저 태 태 태권도 안 안 할래요.-

안쓰러워 웃으며 물끄러미 바라보니 규혁이가 고개를 떨군다.
문득 주먹 쥐는 것이 잘 되는 나를 사흘 동안이나 반복시키던 사범님 생각이 났다. 그것은 규혁이처럼 주먹을 잘 못 쥐는 아이를 지도하는 것보다 더 힘든 일이 아니었을까? 하는 생각이 들면서 규혁이가 태권도를 포기하지 않게 하는 것이 무엇보다 소중하게 생각되어 나는 인내를 가지고 지도하기로 했다. 규혁이에게 주먹 지르기를 한 번 시키기 위해서 나는 여러 번 시범을 보여야만 했고 반복된 설명을 계속해야 했다. 많은 갈등 속에 규혁이를 지도하며 첫 심사(8급)에 응심 시키기 위해서 나는 넉 달이라는 시간이 걸려야 했다.

첫 심사 날!
규혁이 어머니는 백합꽃으로 만들어진 꽃다발을 준비해 오셨다.

- 사범님! 규혁이가 사범님 이야기만 해요. 이번 심사에 기대가

굉장히 커요. 제발 합격해야 이 꽃다발을 줄 텐데…….

심사가 시작되고 규혁이는 앞차기에 이어 태극1장을 하기 시작했다.
어설픈 동작으로 열심히 하던 규혁이가 17번째 동작에서 다리가 꼬이며 넘어지고 말았다. 그러자 장내는 시간이 정지된 듯 잠시 조용하다가 이내 웃음바다가 되었다.
순간 나는 ' 아! 어떻게 할까? ' 하고 고심하다 규혁이를 바라보며 박수를 쳐 주었다.

일어선 규혁이의 얼굴이 일그러지며 눈물이 흐르기 시작한다.
그것을 본 내가 단호하고 힘 있게 말했다.

- 규혁아! 할 수 있어 다시 시작해-
- 준비! 태극 1장 준비! 시~작!-

규혁이가 나를 쳐다보더니 인상을 쓰면서 다시 하기 시작했다.

아무런 생각이 나지 않는다.
다만 끝까지 할 수 있기를 바랄 뿐이었다.
잠시 후 박수 소리에 정신이 들었다.
고개를 들어 바라보니 규혁이는 태극 1장 마지막 18번째 동작인 앞굽이 몸통 반대지르기를 하고 있었다.

심사가 끝나고 환하게 웃으며 규혁이가 내게 다가왔다.

- 사 사 사 사범님!

웃으며 백합꽃다발을 나에게 주는 규혁이!
비로소 나는 규혁이의 마음을 알 수 있었다.
무엇이 소중한지를 아는 그 마음을…….
콧등이 찡해져 오며 눈물이 핑 돈다.

그랬다.
규혁이는 내게 자신을 맡기고 있었던 것이다.
嵩山(숭산) 소림사에서 신광이 달마에게 자기를 맡기듯…….

3)傳燈錄(전등록)에 전해지기를

3) 최인호의 길없는 길 중에서

『神光(신광)은 달마를 만나기 전에 공자와 노자의 교리 그리고 장자와 주역을 통하고도 진리를 깨우치지 못하였다. 그리하여 신광은 道를 구하기 위해 소림사로 가서 달마를 조석으로 섬기며 물었으나 아무런 가르침이 없자 홀로 생각하기를 - 옛사람이 도를 구할 때는 뼈를 깨뜨려 골수를 빼내고 피를 뽑아 주린 이를 구제하고, 머리를 진땅에 펴고 벼랑에서 떨어져 주린 호랑이를 먹였다. 옛사람도 이러하거늘 나는 또 어떤 사람인가.- 하며 그 해 12월 9일 밤 폭설이 내리는데 신광은 꼼짝도 않고 서 있으니 새벽녘에는 눈이 무릎까지 쌓였다.

달마가 민망히 생각하여 물었다.

- 네가 눈 속에 오래 서서 무엇을 구하는가?-
이에 신광은 슬피 울면서 사뢰었다.
- 바라옵건대 감로의 문을 여시어 여러 중생들을 널리 제도하여 주시옵소서. -
달마가 대답하였다.

- 위 없는 묘한 도는 여러 날을 부지런히 정진하여 행하기 어려운 일을 행하고 참기 어려운 일을 참아야 하거늘 어찌 작은 공덕과 작은 지혜와 경솔한 마음과 교만한 마음으로 참 법을 바라는가. 이는 헛수고만 할 뿐이다.-

이 말을 들은 신광은 달마가 자기의 작은 공덕과 지혜와 경솔함과 교만함이 가득한 마음을 질책하는 것을 깨닫고 슬며시 칼을

뽑아 왼쪽 팔을 잘랐다고 한다.
그것으로 신광이 자기의 마음을 보이자 달마는 신광이 법기임을 비로소 깨닫고 혜가라는 법명과 법(道)을 전해 주었다고 한다. 』

흰 띠!
자기를 스승에게 맡길 줄 아는 마음을 가져야 진정한 흰 띠인 그러한 제자다움을…… 나는 규혁이를 통해 느끼면서 참된 스승이란 흰 띠와 만나면 흰 띠가 되어야 하고 검은 띠를 만나면 검은 띠가 될 줄 아는 것이 바로 진정한 스승이리라 생각하며 그가 전해준 백합꽃을 바라보았다.

향기가 좋고 아름다웠다! 오래도록 나의 기억에 남을 만큼…….

<제자들>

8. 겸허(謙虛)한 정진(精進)

MK는 중학교 3학년 때인 84년 11월부터 태권도를 시작했다.
워낙 싸움을 많이 하고 다니던 아이이었던지라 무기정학의 처벌까지 받아 MK 모친께서 운동을 시키면 나아질 거라고 믿고 태권도장에 보내신 것이었다.
지도하니 의외로 소질이 있었으나 워낙 거친 다혈질의 성격이 문제였다.

다음 해 고등학교에 진학했으나 태권도부가 없는 데다 한국광산공고에 태권도부가 창단된다고 하여 자퇴하고 이듬해 광산공고에 입학했다.

고등학교 선수등록을 하려다 MK의 주민등록 등본을 본 나는 깜짝 놀라고 말았다.
어머니께서는 이혼한 상태였고 초등학교 6학년 때 돌아가신 아버지는 서류상으로 생존해 있는 것으로 기록되어 있었기 때문이었다. 그때서야 나는 이해 할 수 있었다.
MK가 왜 말썽을 많이 일으키고 도장에 결석을 자주 하였는지…….MK가 결석할 때마다 나는 운동을 마친 후 MK를 찾아 제천의 곳곳을 찾아 다녀야만 했었다. 그리고 때로는 체벌을 가하기ㅓ도 하였다. 그랬기에 더 가슴이 아려온다.

나는 MK의 호적을 정리하여 준 후 선수등록을 마치고 본격적인 선수 훈련을 시키기 시작했다.

날이 갈수록 실력이 향상된 MK는 자만에 빠지기 시작했다.
급기야는 지도 사범과의 겨루기에서 MK는 전광석화 같은 왼발 몸통 뛰어 앞돌려차기에 이어 오른발 몸통 앞돌려차기를 차는 그 찰라. 정사범은 뒤로 살짝 빠졌다 MK의 아랫배를 보고 오른발 앞돌려차기를 시도하는 순간, MK의 뒤돌려 차기가 이어지며 정사범의 얼굴에 보기 좋게 작렬하였다.
뒤로 붕-뜨며 다운을 당한 정사범은 일어날 줄을 몰랐다.
많은 수련생과 선수들이 보는 앞에서 MK는 우쭐대기 시작한다.
장내는 조용하다 못해 고요해진 가운데 靜寂(정적)이 흘렀다.

모두의 시선이 MK에게 머물다 나에게 쏠린다.
MK를 바라보며 살짝 미소를 지은 나는 조용히 손짓했다.
그리고 도장 한복판에서 MK를 맞이했다.

겨루기 자세를 취한 MK는 몸에 힘이 잔뜩 들어가 있었다.
헛 동작으로 나를 유인하는 MK!
그러나 나는 가만히 서 있었다.
초조해진 MK의 공격!
MK의 얼굴 뒤돌려 차기의 헛 점을 보고 일보 빠지면서 이어진 나의 오른발 뒤돌려 차기가 MK의 턱에 붙는 것을 느꼈다.
이번에는 MK가 도장 바닥에 주저앉아 정신을 차리지 못했다.

한참 만에 정신을 차린 MK가 - 사범님! 제가 어떤 발차기에 맞았나요? - 하며 묻는다. 대답 대신 나는 - MK야, 내일 학교를

마치고 바로 내게 와라. -

다음날 오후에 찾아온 MK를 데리고 내가 나고 자라면서 뛰어 놀던 노루 골로 갔다.
제법 굵은 낙엽송 앞에 서서 나는 말했다. - MK야! 지금부터 도끼로 나무를 쓰러트려라. 단 나보다 빨리 쓰러트려라.-

나는 도끼로 나무를 찍기 시작했다.
그러자 MK도 정신없이 나무를 찍기 시작했다.
그러나 MK는 오래지 않아 -사범님! 너무 힘이 듭니다.- 하고 말하며 주저앉는다.
그것을 본 나는 말했다.
- 태권도를 수련하는 네가 지금 꼭 이렇구나, 힘이 들어도 쉬지 말고 계속 나무를 찍어라.-
하며 나는 쉬지 않고 나무를 찍었다.
MK는 할 수 없는지 일어나 계속 나무를 찍는다.

한참 후 도끼로 나는 낙엽송을 쓰러트렸는데 MK는 반도 못 찍었다.

나는 손수건으로 땀을 닦으며 - MK야! 너는 지금 무엇하고 있느냐? - 하고 물으니 MK는 - 사범님! 손바닥에 물집이 생겼어요.- 하며 동문서답을 한다.
나는 씩 웃으며 - 나무를 찍는 것이 아니라 지금 너는 손바닥에 물집을 만들고 있구나. - 하니 MK는 고개를 떨어뜨린다. 그런 MK를 바라보며 나는 말했다.

- MK야! 11년 전에 너만 한 청년이 제 딴에는 최선을 다해 훈련했다고 생각하고 국가대표 선발전에 출전하였다.
첫 경기의 상대는 한국체대의 이길홍 선수였다.
그 선수는 한국대표선수로 아시아 대회에서 우승한 적이 있는 선수였는데 상대를 알 리 없는 소년은 겁 없이 경기를 치렀으나 뒷차기로 1점을 빼앗긴 채 경기를 마치고 제천으로 돌아오며 우물 안의 개구리였던 자신을 반성하며 보다 더 원시적인 훈련 방법을 택했다.

새벽마다 매일같이 십리를 왕복하는 달리기로 심폐력과 지구력을 길렀고 심지어 그는 속도를 향상시키기 위해 산 비탈길을 뛰어내리기로 작정하고 뛰어 내려오다 탄력이 붙은 속도를 이겨내지 못하고 밭도랑으로 처박히며 실신하는 무모함도 마다하지 않았으며 충혼탑의 64계단을 하루도 거르지 않고 10번 이상씩 전력을 다해 뛰어 오르내리는 힘든 훈련도 마다하지 않았다.
한마디로 그는 목숨 걸고 태권도 수련을 하였던 것이다.
그런 고된 훈련의 결과로 그는 뛰어난 속도와 체력을 지니게 되었고 누구와 겨루어도 자신이 있게 되었다.
너에게 내가 하고 싶은 말은 謙虛(겸허)한 精進力(정진력)이다.
기량이 무르익을수록 겸허함을 잃지 말고 또한 자기의 피땀으로 이루지 않은 대가는 바라지도 마라.-

그날 밤 MK의 어머니께 전화가 왔다.
-사범님! MK가 이불과 냄비를 싸달라고 하는데 무슨 일입니까?-

나는 웃으며 MK가 원하는 대로 해 주시라고 했다.

그날부터 MK는 홀로 도장에서 먹고 자며 스스로 훈련하기 시작했다.

9. 선택(選擇)

비가 오나 눈이 오나 설날이나 추석날이나 쉬지 않고 눈물겹게 훈련하던 MK는 단양에서 개최된 충북 교육감기대회에 출전하여 당시 초 고교생으로 이름을 떨치던 신재현 선수와 첫 경기에서 만나게 되었다.

MK는 당당하게 맞섰으나 아쉽게도 득점 없이 우세로 승리를 내주고 말았다.
신재현 선수는 초등학교 때부터 수 많은 전국 대회에서 우승을 하였었고, 현재는 청소년대표선수로 활약하는 등 많은 전적을 가지고 있는 선수라 MK보고 잘했다며 실망하지 말라고 위로해 주었으나 MK는 자책하며 경기장을 빠져나갔다.

늦가을의 정취 속에 경기장 옆으로 흘러가는 강물을 보며 벤치에 앉아 차를 마시고 있노라니 MK가 다가왔다.

- 사범님! 죄송합니다.
- 뭐가 죄송하냐?
- 아무리 대단한 선수라고 하지만 저는 득점을 안 뺏기려고 방어에만 급급했었습니다.

그랬다. MK는 재현에게 밀려 공격다운 공격을 하지 못했다.
아무리 지독한 훈련을 한다고 해도 경기력은 하루아침에 쌓여지는 것이 아니다. MK가 말했다.

- 차라리 맨주먹으로 싸우라면 이길 수 있는데요 -하며 분해한다.

피~씩 웃으며 내가 말했다.

- 싸움이라니…….
-사범님! 저는 태권도선수 생활은 안 할 겁니다. 대학도 갈 생각이 없습니다.

나는 말 없이 바라보았다.

-저는 돈을 벌 겁니다. 살아가는데 가장 필요한 것이 돈이라고 생각합니다. 사범님께서 저희 식사를 사주 실 때마다 다른 애들은 몰라도 저는 목에 넘어가지 않았었습니다. 저는 가난한 게 싫습니다.

나는 어쩌면 어렵게 자란 MK를 이해하지 못하고 있을지도 모른다고 생각했다.

먹다 남은 커피를 들여 다 보았다.
돈이라……. 커피만큼 쓴웃음이 나도 모르게 새어 나온다.

수많은 태권도 지도자들이 현실 속에 부딪히는 문제가 돈이었다.
나는 나를 되돌아보았다. 가진 것이 없는 나였다.
현실에서 누구나 꿈을 이루기 위해서는 돈이 필요하다고 생각되었다.
하지만 그 꿈을 이루게 하려고 정당치 못한 방법이나 남의 힘으로 이룩한 꿈은 결코 행복하고 보람된 일이 아니다.
그것이 부모 형제 또는 知人(지인) 이라 해도…….
오로지 나 스스로 땀 흘려 번 대가로 내가 하고 싶은 일을 해야만 나는 보람되고 행복할 수 있을 것이다.
그것을 나는 MK를 통해 깨닫는다.

갑자기 노래 조약돌이 생각났다.
흘러가는 물결에 모난 곳을 수천 아니 수억 년을 둥글게 다듬어져 온 조약돌처럼 나는 모난 곳을 둥글게 완성 시키며 살아갈 수 있을까?

그것이 진정한 태권도인 것인데…….

강바람이 머릿결을 스쳐 간다.
나는 MK의 소질과 하고자 하는 열정이 아까워 마지막으로 MK를 설득하기 위해 MK의 눈을 바라보며 말했다.

- MK야! 상대와 겨룰 때 무작정 공격하는 것은 어리석다. 상대를 공격할 수있는 기회는 여섯 번이 있다.

- 언제 입니까? 사범님! -
- 첫째는 상대가 나올 때이며 둘째는 상대의 발이 공중에 있을 때이고 세 번째는 상대의 발이 바닥에 닿을 때이다.
- 사범님! 상대가 나올 때는 언제입니까?

- 상대가 발차기를 하려고 할 때와 스텝을 밟을 때 지면에서 떨어지는 찰라이다.
- 어떻게 공격해야 합니까?
- 거리를 봐서 차면 된다.
- 네 번째는 무엇입니까?
- 상대가 숨을 들어 마실 때이니라.
- 어떻게 숨을 들어 마실 때를 알 수 있습니까?
- 소리로도 들을 수가 있으나 고수일수록 호흡이 고르기 때문에 몸의 움직임을 잘 살펴보면 알 수 있을 것이다.
- 사범님 다섯 번째 기회는 무엇입니까?
- 숨을 내쉴 때이니라.
- 숨을 내쉴 때 역시 알아차리기가 쉽지 않겠는데요.
- 많은 연습과 실전의 경험이 있어야 알 수 있다.
- 여섯 번째 기회는 어떤 것입니까?
- MK야 그것은 숙제니라. 알아서 나에게 이야기해라.
그리고 옛 무도인은 一眼 二足 三膽 四力이라고 했다.
- 사범님! 무슨 뜻입니까?
- 一眼(일안)은 눈이고 二足(이족)은 발을 즉 기동력 기술이며 三膽(삼담)이란 용기 배짱이며 四力(사력)은 힘이라는 말이다. 이 말은 무도에만 필요한 것이 아니고 사회생활에도 필요할 것이다. 먼저 앞을(상대를) 내다보고(파악하고) 빠르게 대응해야 하며 정확한 판단과 실천력, 그리고 힘과 기술을 연마하여 갖출 일이다. 그리고 신념이 있다면 포기하지 않는 마음이 있어야 한다. - 하고 말하기 MK는 [illegible] 명심하겠습니다. 사범님!-하고 대답한다.

다음 해 (1989년 2월)
흰 눈이 내려 세상이 온통 백설로 뒤덮인 날!
MK의 졸업식에 참석하지 못한 나에게 졸업식이 끝나고 찾아온 MK는 친구들이 많이 왔는데 친구들은 그래도 우리 가운데 고등학교를 졸업한 친구가 있다며 부러워하는 친구도 있었고 죽마고우인 한 친구는 눈물까지 흘렸다며 MK가 전해주었다. 그러면서 MK는 - 사범님! 저는 인천으로 갈 겁니다. 카드회사에 취직했습니다. -하고 말하고는 -사범님! 숙제를 풀지 못했습니다. 상대를 공격할 때 여섯 번째는 무엇입니까?"

- ....

나는 MK가 선택한 것을 깨닫고는 찻잔을 들며 조용히 말했다.

- 여섯 번째는 눈을 깜박일 때이니라.

답을 들은 MK는 조용히 일어나 큰절을 하고는

- 다시 찾아뵙겠습니다. 사범님!

떠나가는 MK를 창문으로 바라보았다. 백설에 반사된 햇살이 눈부시다. 나는 눈부신 햇살이 MK의 앞길에도 환히 비추어 주길 진심으로 기도했다.

이 시기에 이름이 특별한 수련생 삼 형제를 지도하게 되었다.
먼저 동생이 입관했다.
- 이름이 뭐지?
- 네, 저는 김한국입니다.
- 이름이 좋구나!
- 사범님! 형과 동생도 같이 왔는데요.
- 그래, 이름이 뭐지?
- 대한입니다.
- 대한, 김대한…….그리고 너는 한국, 하하 대한민국! 막내는?
- 네! 만세인데요.

대한 민국 만세 삼 형제!
나는 삼형제의 이름을 크게 부르며 통쾌하게 웃었다.
삼형제도 나를 따라 환하게 웃었다.

10. 태권도는 道가 아닌가?

1990년 1월 2일 새벽 무렵 나는 처음으로 용꿈을 꾸었다.

친구와 함께 넋고개에서 하소리를 향해 걷고 있는데 갑자기 하소 뒷산 위로 한 마리 거대한 용이 솟아오르고 있었다.

장엄한 광경에 바라보는데 갑자기 용이 입에서 붉은 여의주를 뿜어 내는데, 여의주는 순식간에 나의 정수리로 날아들어 온몸에 스며들었다. 이에 깜짝 놀라 잠에 깨어났었다. 그리고 지금까지 제자들은 전국 대회에서 입상을 했지만 우승을 하지 못했었는데 6월 9일 김병희 선수의 우승을 시작으로 다음 해인 1991년 5월 5일 어린이날에 개최된 전국 태권왕 대회에서 원영철군이 우승하였고 이어 6월 9일 나는 중학교 시절 교장이셨던 최병찬 선생님의 주례 속에 KBS드라마 야망의 세월 주연이었던 이동준 군의 사회로 결혼식을 올리게 되었다.

.[1991. 6. 9 결혼식]

제자들과 약속했던 전국대회 우승 이후 장가를 가겠노라 했던 말이 씨가 되어 노총각이었던 나를 구해준 것은 김병희 선수였다.

병희가 우승하던 날이 90년 6월 9일 11시 30분경이었다. 그런데 참으로 묘한 일은 선배 한 분이 맺어준 인연 속에 부모님께서 잡아 오신 결혼식 날이 공교롭게도 일 년 후인 6월 9일 11시 30분이었다. 그렇게 우연치고는 너무나 운명적인 결혼식 중에 주례사를 하시는 최병찬 선생님의 말씀은 하나도 들려오지 않고 오직 귓가에는 ‘ 태권도는 도가 아닌가?’ 하는 선생님의 말씀만이 맴돌고 있을 뿐이었다.

지난 1988년 5월!

홀로 사무실에 앉아 여러 가지 상념 속에 차 한 잔을 마시고 있는데 세명고등학교 최병찬 교장 선생님께 전화가 왔다. 상의할 것이 있으니 학교로 와 달라는 것이었다.

세명고(이 당시는 충현고등학교) 교장실로 가니 선생님께서 녹차를 한 잔 주시며 조심스럽게 말문을 여신다.

- 오늘 오전에 내가 경찰서에 가서 서장을 만나보고 왔네.

- ....?

- 경찰서장이 우리 학교 학생과 제원고 학생 간에 패싸움을 벌인다는 정보가 있어 양측의 교장 선생님을 모셨노라고 하더군.

나는 선생님을 바라보았다.

- 우리 학교에서 주축은 노준호이고, 제원고는 김정현이라 하더군.

순간, 나는 너무 놀랐다.

준호와 정현이는 그들의 부모님들께서 특별히 부탁하여 중학교 때부터 내가 지도하고 있었는데 패싸움이라니, 교장 선생님은 이어 - 아들뻘밖에 안 되는 서장 앞에서 내가 고개를 못 들었네. 준호는 이미 우리 학교 선생님들이 다루기가 힘드네. 그래서 내가 살펴보니 준호는 박 사범이 지도하고 있더군.

대답 없이 듣기만 하는 나를 보고 교장 선생님께서는 한 말씀을 던지신다.

- 태권도는 道가 아닌가?

순간, 나는 할 말을 잃었다.

- ....

교장 선생님은 내가 중학교 때에도 교장 선생님이셨다.

내가 중학교 1학년 여름방학을 열흘 정도 앞두고 익경이와 학교를 가다 또래의 아이들 몇 명이 시비를 걸면서 패거리로 덤비는 바람에 심한 싸움 끝에 쓰러진 그들을 보고 겁이 덜컥 난 나는 익경이와 무작정 청량리 행 기차를 타고 무단가출을 했었다.

그러나 청량리에서 익경(익경이는 나중에 주먹깨나 썼다는 알 만한 사람은 다 아는 TNT라는 조직을 만들어 중앙선을 주름잡으며 못된 짓을 일삼다 결국은 교통사고로 사망한 친구였다.)이가 구두닦이를 잘못 건드려 그들 패거리를 피해 다시 기차를 탄 것이 익경이는 제천으로 돌아오는 기차를 타서 바로 돌아왔지만 나는 춘천행 기차를 타고 가게 되었다.

춘천행 기차를 탔지만 어디로 가야 하는지, 어떻게 해야 하나 하고 고민하다가 문득 가평에 계시는 7촌 재당숙의 집이 생각나 들렸더니 교직에 계시는 당숙이 눈치를 채고 몰래 연락을 하시는 바람에 가평으로 찾아오신 할머니에 의해 꼼짝없이 제천으로 돌아온 나에게 교장 선생님께서 싸움하지 말고 태권도에만 전념하라는 조건으로 반성문 하나 안 쓰게 하는 특혜(?)속에 나는 그 누가 시비를 걸어도 참으며 싸움을 피하고 공부와 태권도에만 전념하였다. 그렇게 지내던 중 화장실 입구에서 같은 반의 뇌성마비로 몸이 자연스럽지 못한 친구가 나의 가슴을 한 대 때리며 말했다.

- 야! 너 나한데 지지?

하지만 나는 씩 웃고 가만히 있는데 지나가시다 그 모습을 보신 선생님께서 이제 승동이가 사람이 다 되었구나! 태권도 하는 사람은 그래야지 하시며 매점에서 빵과 우유를 사주셨는데 눈물이 핑 돌면서 콧등까지 찡하게 하신 선생님께서 이제 나에게 '태권도는 도가 아닌가?' 하고 질문을 던지신다.

선생님의 한 말씀은 뇌성벽력이 되어 나의 정수리에 꽂힌다.
떨어진 찻잔을 바라보며 나는 선생님께 여쭈었다.

- 선생님! 道란 무엇입니까?

의외의 질문인 듯 선생님께서는 한참을 말씀이 없으셨다.

- 박사범! 道는 낮은 곳으로 흐르는 성품이 있으므로 자기 존재의 발견과 단련을 통해서 겸허한 성찰과 반성과 진취적인 낮음을 이해하여야 道라는 큰 바다에 이룰 수가 있을 것이네. 跆拳道(태권도)도 道인 것을....

교직으로 평생을 사신 선생님의 섬뜩한 일격이셨다.

- 선생님! 제가 여길 올라오면서 잠시 길가에 앉아 쉬며 머리 들어보니 푸르른 저 하늘이 높은 줄 알았는데 문득 머리 숙여 보니 제 발등 위도 하늘인 것 같습니다. 제가 이러한데 어떻게

그들을 이끌어야 합니까? 일러 주십시오.

- 보다 큰 뜻으로 그들을 이끌어 주시게. -

나는 떨어진 찻잔을 들어 탁자 위에 올려놓으며 선생님께 큰절을 하고 나오면서 깊이 생각했다.

보다 큰 것!
生의 한 出發點(출발점)은 언제나 變化(변화)속에 動機(동기)가 있어야 하지 않을까 생각했다. 그렇다면 보다 큰 것의 동기는?
문득 나는 에릭 프롬의 序文(서문)이 생각났다.

- 자기 스스로 결정한다. -

다음날 나는 준호와 정현이에게 전화를 했다.
모두 도장으로 모인 그들에게 나는 말했다.

- 지금부터 나와의 인연을 끊을 사람은 내가 도복을 입고 나올 때까지 모두 도장을 떠나라.-

탈의실로 들어가 도복을 입으면서 검은 띠를 보는 순간 나는 염치가 없어졌다.

그래서 나는 검은 띠 대신 흰 띠를 매고 나왔다. 도복을 입고 도장으로 들어서니 다들 그대로 있었다. 그런 그들에게 나는 신중하게 말했다.

- 나와의 인연을 소중하게 여기는 너희들이 정말 고맙다. 하지만 모두 도복을 벗어라. 너희들은 도복 입을 자격이 없다.- .

- 지금부터 나와 같이 333번의 절을 한다. 누구에게 한다고 생각지 마라. 나는 너희들이 자기 자신에게 하기를 원한다. 중도에 포기하는 사람이 나오면 대신 내가 나머지를 절을 하겠다.

수십 년 동안 피와 땀이 밴 송판으로 된 마루 위에서 시작된 333번의 절은 시간과 함께 흐르고 있었다. 그러나 방석 없이 하는 절은 견디기 힘든 고통이었다. 어느 정도의 시간이 지나자 여기저기 제자들의 팔꿈치와 무릎에 물집이 생기기 시작했다. 나의 팔굽과 무릎에서도 물집이 잡히기 시작했다. 여기저기에서 끙끙대는 소리와 흐느끼는 소리가 들렸다. 그러나 누구 하나 포기하지 않고 절을 마쳤을 때 우리는 모두 한 마음이 되었음을 알 수 있었다.

나는 타는 갈증에 냉수를 한 모금 마시고는 그들에게 말했다.

- 싸움이란 자기 스스로 결정해라. 하지만 나와 함께 가는 동안 어느 누구도 절대로 싸워선 안 된다. 사소한 일로 자기의 인생을 걸지 마라. 보다 큰 것에 자기 자신을 맡겨라."하며 강하게

말하자 그들은 스스로 준호의 구령에 맞춰 세 번을 절한 뒤에 물러갔다.

이후 이들의 싸움 이야기는 들려오지 않았는데…….

옆에 있는 신부가 나의 허벅지를 툭툭 치며 조그마한 소리로 말한다.

- 뭐 하세요?

신부를 한번 바라보고 주례 선생님을 바라보았다.

- 신랑은 신부를 검은 머리 파뿌리 될 때까지 아끼고 사랑하겠습니까?

- 네~!

기합 소리에 가까운 나의 대답에 장내는 갑자기 웃음바다가 되고 말았다. 장내를 가득 메운 웃음소리는 이내 메아리가 되어 '태권도는 도가 아닌가? '하는 물음으로 나의 가슴을 파고든다

'道는 낮은 곳으로 흐르는 성품이 있으므로 자기 존재의 발견과

단련을 통해서 겸허한 성찰과 반성과 진취적인 낮음을 이해하여야 道라는 큰 바다에 이룰 수가 있을 것이네. 跆拳道(태권도)도 道인 것을…….'

11. 패자(敗者)의 노래

소슬바람이 스쳐 갈 적마다 잎사귀를 떨구던 버드나무는 이내 앙상한 가지를 바람결에 흔들며 춤추고 있다.

바라보니
바람이 가녀린 버드나무 가지를 흔들고 있는 것인지…….
버드나무 가지가 바람을 타고 춤을 추는 것인지…….
그것을 보니 떠오르는 선문답 하나!

스승이 지나가며 보니 제자 둘이 다투고 있었다고 한다.
이유인즉 깃발이 바람에 흔들린다. 바람이 깃발을 흔든다는 제자들의 말다툼이었다. 그것을 바라보던 스승은 - 둘 다 틀렸다. 마음이 움직이는 것이다.-라고 말했다고 한다.

우리는 살아가면서 '바람이 깃발을 흔들고 깃발이 스스로 바람에 흔들린다는 이러한 논쟁을 많이 벌이곤 한다. 어리석은 줄 알면서도…….

1990년 김병희 선수의 전국대회 우승에 이어 다음 해 전국 태권왕 대회에서 원영철 군이 초등부 헤비급 우승을 차지하며 전성기를 이어가던 91년도에 후배 정용석 군이 한 소녀를 도장으로 데리고 왔다.
본인이 태권도선수가 되기를 원하고 부모님도 원하여 형님께 맡기는 것이 가장 현명한 선택이라고 생각되어 소녀를 데리고 왔노라고 했다.

- 이름이 뭐지?
- 네, 전성아입니다.
- 이름이 예쁘구나, 열심히 해 보거라.
- 네!

수줍어하며 나와의 인연을 맺은 성아는 육상 단거리 충북 대표 선수였던 어머니의 소질을 물려받았는지 오른발 왼발 가릴 것 없이 사용을 잘했고 심폐력과 지구력이 뛰어난 소녀였다.

제천여중으로 진학한 후 성아는 의림여중의 순기와 같이 1992년 5월 25일부터 30일까지 개최된 한국중고등학교태권도연맹기 대회에 처음 출전한 전국대회에서 전성아와 김순기 선수는 예상을 깨고 준결승에 진출하였다.

준결승에서 전성아 선수의 상대는 강남 여중의 정재은 선수였다.

1회전을 끝내고 나니 성아가 1:0으로 앞서고 있었다.
그러나 그것은 정상적인 판정이 아니었다.
내가 판단하기에는 정재은 선수가 2점 이상을 득점한 것 같은데 심판들은 점수를 주지 않았다.
2회전을 마치고 나서도 여전히 1:0으로 성아가 이기고 있었다.
2회에서도 상대는 분명 득점을 했다. 하지만 심판들은 계속 정재은 선수에게 득점을 주지 않았다.
2회전을 마치자 펄펄 뛰며 소리소리 지르는 강남여중 코치를 보며 나는 갈등했다.
내가 강남여중 코치였다면…….
내가 상대 선수의 학부모였다면…….
불현듯 작년 문화관광부장관기 생각이 났다.

′ 김병희 선수는 2년 연속 우승의 의지를 갖고 휴일도 반납하고 무더위와 싸우며 힘든 훈련을 마치고 출전하여 여유있게 예선을 통과하고 준준결승에서 만수여중의 선수와 경기를 치렀다. 그러나 여러 차례 얼굴을 가격하여 상대 선수가 맞아 머리보호대가 벗겨지고 휘청거리는 일방적인 경기에도 불구하고 병희는 심판들의 불공정한 판정으로 만수여중의 선수에게 지고 말았다.
경기 내내 나는 항의를 했지만 판정은 번복되지 않았고 그래도 일말의 양심이 있었는지 그렇게 소란을 떠는 나에게 주심은 경고 한번 주지 않았다.
경기를 마치고 나오며 병희가 강하게 불만을 표했다.

-사범님! 제가 이겼는데 왜 제가 졌지요?
- 병희야! 먼저 나가거라.

나는 곧 바로 감독관석으로 가서 따졌다.

- 이런 걸 판정이라고 합니까?
- 심판이 그러는 것을 어떻게 하나?

평소 싸라기만 드셨는지 반말을 하며 억울하면 소청하라고 하였다.

몇몇 심판 및 임원에게 어필해 보았지만 경기를 뒤집을 수는 없는 일이였다. 감독으로 등록이 되어있어야지만 이의제기할 수 있는데 나는 코치로 등록이 되어있어 그나마도 이의제기도 하지 못하고 경기장을 나올 수밖에 없었다.

대회를 마치고 이재봉 코치와 같이 인천체고의 양기모 코치 승용차로 대전체고에 가서 코치 협의회 모임을 가지며 나는 만수여중 코치에게 병희 경기를 말하니 "아! 따당 잘 차고 얼굴 잘 차던 아이 말이죠. 참 잘하던데 그 경기는 솔직히 우리 애가 졌어요." 하고 시인한다. 그제야 나는 마음이 조금 풀렸지만 병희가 받은 마음의 상처는 어찌할 수 없었다. 이후 마음의 상처를 받은 병희는 많은 방황을 하며 태권도를 하지 않겠다고 하여 나와 병희 부모님 속을 많이 태웠던 기억이 떠올랐다.

전성아와 정재은 선수는 3회에서도 서로가 득점이 있었는데 전광판의 점수는 여전히 1:0으로 성아가 이기고 있었다. 나는 무엇보다도 어린 선수가 상처 받는 것을 용납할 수 없었다. 이것은 스포츠가 지니고 있는 이상인 '보다 노력하고 보다 성실한 사람이 성취할 수 있다'는 사회정의에도 어긋나는 일이며 또한 나의 양심이 허락하지 않았다.'
3회를 마치고 감독관석으로 가는 주심을 보며 성아를 기권시키기 위해 나는 흰 수건을 들었다. 주심이 성아의 팔을 들어 주기 전에 수건을 던지면 성아의 기권이 될 터이니…….

감독관석에서 걸어 나오던 주심은 내가 수건을 던지려고 하자 손으로 나를 진정시키며 다시 감독관석으로 뛰어간다.

한참을 상의하던 감독관과 주심은 기권을 하기 위해 수건을 놓지 않고 있는 나를 몇 번이나 보더니 이내 상대에게 1점을 주고 우세승으로 정재은 선수의 승리를 선언한다.

성아의 어깨를 감싸 안고 경기장을 나오며 나는 나에게 말하듯 성아에게 말했다.

- 성아야! 우리가 시골에서 고생하며 올라왔지만, 솔직히 오늘 경기는 성아가 졌단다. 그건 성아도 인정하지?
- 네!
- 하지만 우리는 오늘 진정한 태권도를 한 것이란다. 그것이 남들은 어리석은 패자의 노래라고 할지 모르지만 말이다 성아야! 우리 동메달로 만족하지 말고 노력해서 다음에는 우승을 하자구나.

- 네! 사범님! 더 열심히 하겠습니다.

경기장 밖으로 나오니 성아 어머니께서 다가와 말하신다.

- 사범님! 어떻게 된 거예요?

상황을 설명하니 스포츠맨이셨던 성아 어머니께서는 성아에게 바른 정신을 알려 주셔서 고맙습니다고 하시며 오히려 차를 권하신다. 그렇게 나의 뜻을 받아들인 성아는 제천으로 돌아오자 다음날부터 학교 수업을 모두 마치고 하루에 한 시간씩만 수련하면서도 나가는 전국대회마다 입상 내지는 우승을 하여 중학교를 졸업하던 해에 성아는 대한태권도협회 우수 장학생에 선정되어 장학금을 받았고, 신재현 코치가 지도하는 충북체육고로 진학하였으며 대학은 체육명문대인 경희대로 진학을 하였다.

이 땅에 태권도가 탄생 된 이후 태권도장의 일반 무도적인 수련과 엘리트 스포츠의 경기화로 인하여 태권도는 무궁한 발전을 이루었지만 언제나 문제는 심판의 판정과 감독, 코치의 자질이었으며 그것은 경기 전에 짜놓은 협잡과 영향력 있는 인사의 압력, 향응제공 그리고 인간관계로 맺어진 인연 및 뇌물의 제공을 뿌리치지 못하는 가련한 인간들에 의해 저질러지는 가련한 일이다. 그것은 ITF와 WTF로 양분된 이후 스포츠로서 세계적인 발전을 이룬 태권도의 명예를 실추시키는 가장 큰 문제임에도 불구하고, 많은 사람의 노력에도 불구하고 개선의 여지가 보이지 않는다. 그러므로 인하여 우리는 태권도 정신과 명예를 스스로 잃어가고 있다. 전자호구도입과 차등 득점제 같은 좋은 제도와 규칙도 그것을 판정하는 심판이나 항의하는 코치의 정당치 못한 마음가짐(폭력적인 대응만이 최선이라고 하는)일은 판정에 있어서는 바람에 흔들리는 깃발이나 깃발을 흔드는 바람 같은 것일 뿐이다.

지금의 경기 규칙 하에서도 심판의 도리가 제대로 선다면 태권도의 명예를 실추하는 일은 없을 것이다.
심판의 道理(도리)란 하늘을 향해 한 점 부끄러움이 없는 정정당당한 판정이다.'

패자의 노래!

그것은 나를 잊어야 하는 수련이다.
피땀을 흘리는 나를 잊고
뼈가 부딪치는 고통을 잊고
명예와 영광을 잊을 수 있고
좌절과 굴욕을 잊을 수 있는
최선을 다한 忍耐(인내)와 克己(극기)속에
비겁한 승리를 부끄러워 하는 廉恥(염치)를 알고
정정당당한 패배를 부끄러워 하지 않는
百折不屈(백절불굴)의 정신으로
최선을 다하는 것을 자랑스러워 하는
진정한 敗者(패자)가 되어야 하리라.
태권도 경기에서 영원한 승자는 없기에....
패배를 인정할 줄 아는 者만이
태권도 경기를 통한 깨달음을 얻을 수 있는 것이며
진정 아름다운 패자의 노래를 부를 수 있으리라.

12. 일색냉청송(日色冷靑松)

<솔의 푸름으로 햇빛도 차가워진다.>

모든 인간은 태어나면서부터 알기를 원한다.
Aristoteles의 [4]「형이상학」첫머리에 나오는 이 말은 우리가 왜 배우면서 삶을 살아가는 가에 대한 답일 수도 있다.
形而上學(형이상학)의 문제는 存在(존재)의 문제인데
Aristoteles는 '예나 지금이나 항상 탐구되고 곤란을 느끼게 한 것은 존재란 무엇인가 하는 문제이다'라고 말하였다.
존재자의 존재에 대한 물음은 즉 배움의 문제이다.
배움은 진리의 認識(인식)에 있는데 眞理(진리)라고 하는 것은 '숨겨져 있지 않은 것, 나타나 있는 것'이라고 했다.

태권도를 수련하면서 누구나 제일 먼저 깨달을 수 있는 것이 自我(자아)라는 존재이다.
힘든 수련 속에 자아를 인식하고 자기는 이 세상 그 무엇과도 바꿀 수 없는 소중한 존재임을 깨닫고 소중한 내가 배움을 통하여 세상과의 조화로움을 이루어 나갈 때 세상이 아름답다는 것을 깨닫는 지혜가 생기는 것이다. 이러한 지혜는 솔의 푸르름이 한 여름 내리쬐는 뜨거운 햇볕을 시원하게 만들어 먼 길 가는 피곤한 나그네의 땀을 식혀주듯 서로를 위해 주는 아름다운 인격을 갖추게 된다.
우리는 태권도를 통하여 솔의 푸르름 같은 향기를 가져야 한다.
태권도 수련은 그것을 가능하게 해준다.
태권도 수련 속에 지혜(깨달음)을 얻고 이를 통한 생활의 실천

4) 나무위키 참고

이야말로 우리가 수련하는 이유라고 생각한다.

1994년 초여름!
중학교 동창인 기수가 차를 한잔 하자고 하여 그가 운영하는 삼성문구사로 가니 기수는 - 땅이 좋은 데가 있는데 한번 봐. 내가 문구사를 하려고 찾아다니다 발견했는데 갑자기 자네가 생각나더군. 여기에 태권도장을 지으면 좋겠어.-

지적도를 보니 청전초등학교가 하소동으로 이전하여 제천을 굽어보는 용두산의 지명을 딴 용두초등학교로 개칭(改稱)되고 주변에 아파트단지가 조성되는 곳이었다.
다음날 주택공사에 들러 확인하니 마음에 들었다. 그래서 늘 많은 힘이 되 주었던 광석 외숙에게 상의하니 한 필지로는 너무 작고 두 필지를 구입하라고 조언을 한다. 그러나 문제는 3억이상 되는 비용이 문제였다.

결혼 후 사람이 변했다는 소리를 들으며 사는 덕분에 몇 년 동안 열심히 저축하여 얼마 되지 않는 돈을 모았는데 그것으로는 대지의 계약금 밖에 치를 수가 없었다.

사무실에서 차를 마시며 심각히 생각하는 모습을 본 아내가 묻는다. "무슨 생각을 하세요." 그런 아내를 말없이 바라보다. "당신 생각을 하고 있어요." 나를 바라보는 아내의 해 맑은 미소가 소리없이 가슴에 와 닿는다.

아내와 첫 약속은 단종의 슬픔이 어려 있는 장릉 가기 전인 소나기재에서 '자기를 많이 사랑해 달라는 것'이었다. 나는 목숨 바쳐 사랑하겠노라 약속하였다.

부모님께서는 결혼 후 새벽같이 어둠 속에 일어나 힘든 시집살이를 하는 것이 대견스러웠는지 3년이 지나자 며느리에게 주는 것이라며 당신들이 갖고 계신 유일한 전답 1697평을 증여해 주셨다. 아내는 그것을 담보로 대출을 받아 중도금을 내자고 하여 은행으로 찾아갔지만 증여받은 전답은 일정한 기간이 지나야 대출조건이 된다면 대출을 받을 수 없는 상황이 되었다.
사정이 급하게 되어 사방으로 알아보았으나 갑자기 중도금을 구하기 힘든 가운데 중도금의 만기일이 하루 앞으로 다가왔다. 안타깝지만 포기를 해야 했다. 차를 마시며 안타까움을 달래는데 MK가 들렀다.
나의 안색이 안 좋아 보였는지- 사범님! 무슨 일이 있으세요? -하고 묻는다.
나는 - 아니다. 별일 없단다. 차 한 잔 들어라. 지도할 시간이구나- 하며 일어서 수련장으로 나갔다.

다음날!
가슴 아프지만 해약하러 가자고 말하자 아내는 돈이 준비 되었다며 중도금을 치르자고 말한다.
중도금을 해결하고 나서 궁금해 하는 나에게 사실은 MK가 어제 무슨 일이냐고 자꾸 물어서 그간의 사정을 이야기하니 말없이 듣고 나가더니 잠시 후에 삼천만 원짜리 수표를 가지고 와서 이것으로 중도금을 치르라고 하였다고 한다.
나의 자존심을 알고 있는 아내가 안 받으려고 하니 MK는 -사범님 은혜에 조금이라도 보답할 수 있어 정말 행복하다.- 고 하여 받았노라 고백한다.

MK는 졸업하고 돈을 벌겠다며 인천으로 떠난 지 2년 만에 약간의 돈을 모아 제천으로 돌아와 경양식집인 <프라도>가 경영난에 헐값으로 나와서 인수해 호프집을 하겠다고 하면서 자금이 모자란다고 상의를 하러 왔었다. 그리고 <프라도>를 어렵게 인수한 MK는 정말 열심히 일했다. 그러던 어느 날 MK 어머니께서 상의할 게 있다며 찾아오셨다.
무슨 일이냐 여쭈었더니 매일 같이 MK가 밤중에 들어와 돈을 내놓는데 액수가 많은 것을 보니 아무래도 나쁜 짓을 하는 것 같다는 것이다.
나는 웃으며 MK가 하는 호프집이 예상외로 잘 되어 그렇다며 안심시켜 드렸지만, MK는 자주 코피를 쏟으며 힘들게 일했다.
그렇게 힘들게 일하며 번 돈으로 제일 먼저 고생하신 어머님께 아파트를 사드리고 어렵게 생활하던 생각이 나서 아무도 모르게 주변에 있는 어려운 이웃에게 많은 도움을 주고 있었다. 그런 MK가 약관이 조금 넘은 나이에 나의 자존심까지도 생각할 정도로 성숙하여 가고 있는 것을 생각하니 갑자기 목이 메며 눈물이 핑 돌았다. 숨죽이며 말없이 지켜보던 아내가 나의 눈물을 보고 손수건을 내민다. 아내의 손을 바라보았다.
곱기만 했던 손이 어느덧 아주 거칠어져 있었다. 나는 말없이 아내의 손등을 나의 볼로 가져갔다. 그러자 아내는 제자의 마음이 너무 아름답다고 말한다. 지난날들이 파도처럼 스쳐 간다.

건물을 짓다 보니 생각한 예산 외에 많은 경비가 들어갔다. 힘겹게 도장을 짓고 있는 어느 날, 최석기 사범이 찾아 왔다. 차를 마시며 대화를 하다 최석기 사범은 "사범님! 어렵게 도장을 건축한다고 들었습니다. 꼭 멋있게 도장을 열어서 저희 같은 후배들에게 하면 된다는 것을 보여 주세요." 하고 말한다.

많은 어려움 속에 태권도장이 완공되고 개관하던 날! 동생처럼 따르던 충주의 김영업 사범이 도장을 하루 휴관하고 많은 일을 해주는 정성 속에 개관식을 성대히 마치고 어둠이 깔린 도장 한 복판에서 나는 누웠다 일어났다 굴렀다 하다가 문득 지금까지 나를 힘들게 하던 모든 일이 나를 진정 강하고 성숙 된 사람으로 만들었다는 생각과 이것은 또 하나의 새로운 시작이라는 것을 깨달았다.
나는 태권도장을 왜 세웠는가? 나는 여기서 무엇을 가르칠 것인가? 라는 두려움 속에 마음이 무거워지기 시작한다.

밖으로 나와 밤하늘을 보았다.
달과 수많은 별…….
나는 다짐했다.
진정 나는 수련을 멈추지 않으리라.
멈추지 않는 수련 속에 미래의 희망을 키워나가리라.

의림지 둑방

수련을 위한 나의 기도

한 방울의 물이 모여
내를 이루고 강을 이루듯

한 방울의 땀들이 모여
나의 배움을 이루게 하소서

하루하루의 수련이
아무리 힘들고 괴로워도
진리를 향한 마음 변치 않게 하소서

태양의 뜨거움도
솔의 푸르름으로 시원해지듯

나의 고통이 솔잎 되어
햇빛을 가리 울 수 있도록
멈추지 않는 수련의 정열을 주소서

「日色冷靑松 솔의 푸르름에 햇빛이 차가워진다.」

13. 온고지신(溫故知新)

나무 닭을 만들어서
벽 머리에 깃들였네
이 닭이 울거들랑
그제사 임이 늙으소서

개성 오관산 영통사라는 절 밑에 홀어머니를 모시고 살던 문충이라는 사람이 수 십리 떨어진 곳에 일하러 다니느라 하루 종일 어머니를 공양치 못하게 되자 마음이 늘 편치가 않았는데 어느 날 일 하고 집으로 돌아와 늙어 가시는 어머니의 용안(얼굴)에 주름살이 가득하고 거칠어진 손을 바라보다 세월을 탓하고 슬피 울면서 나무를 다듬어 닭을 만들고 부른 이 노래는 우리가 삶을 살아가면서 실천을 해야 할 일 중 가장 으뜸으로 여겨야 할 것을 일러주는 노래이며 또한 나의 도장경영에 대한 패러다임을 바뀌게 한 노래로서 이 노래는 고려 말엽의 유학자 이제현(李齊賢)이 한문으로 번역하여 곡조를 악부에 올린 오관산곡 이라는 제목으로 전해지는 곡이다.

언제부터인가 기억은 안 나지만 도장에서 수련을 마치고 집으로 돌아오면 아무리 늦은 시간이라도 아버지는 어김없이 나를 호출하셨다.
틈틈이 익힌 나의 지압과 안마 실력을 아버지는 추켜세우시며 효자는 따로 없노라 하시며 지압과 안마를 원하셨다.
때로는 너무 피곤하여 옷도 못 벗고 쓰러져 그대로 잠이 들곤 하였는데 그럴 때면 어김없이 아버지는 우스갯소리로 나의 약점을 간파하시고는- 이런 불효자 같으니….- 하면 나는 어쩔 수 없이 일어나 졸면서 건성으로 안마를 하곤 했었다.
때로는 불평도 하면서……. 하지만 이 오관 산골짜기를 접하며 문득 나는 그런 불경스러운 효행을 후회하며 반성했다.

예로부터 효심을 가지고 실천하는 사람 중의 사람의 도리를 모르는 악인은 없다고 했다.
그래서 나는 수련생들이 실천해야 할 첫째를 孝行(효행)으로 정했다. 그리고 수련 도중 휴식시간과 마무리 시간을 적절히 이용하여 효자에 관해 이야기하며 수련생과 대화를 나누고 효의 실천에 관해 이야기를 나누었다. 그렇게 몇 달이 지난 후, 나는 태권도 지도자의 길로 들어선 이후 가장 보람된 일을 경험했다.

그것은 많은 어려움을 겪으며 도장을 세운 탓에 우리 가족의 생활은 어려웠지만, 워낙 알뜰하고 검소한 아내는 힘들다는 내색 없이 내가 태권도에만 전념할 수 있도록 배려하여 주는 덕에 나는 신념을 잃지 않고 태권도를 지도하며 생활하는 가운데 97년의 봄날에 성재의 아버지에게서 전화가 왔다.

“관장님! 오늘은 꼭 시간을 내셔서 저랑 차를 한잔하셔야 합니다.” 고 말하여 궁금해 하며 찻집에 도착하니 자리에 앉기도 전에 성재 아버지는 나의 두 손을 꼭 잡고는 이내 눈물을 글썽 인다.

성재 아버지를 처음 만났던 것은 성재를 입관시키기 위해 같이 도장에 같이 왔을 때였다.

초저녁인데도 술이 과하여 몸을 잘 가누지를 못하며 '성재가 많이 맞고 다니고 툭하면 울어 속이 상해서 왔습니다.' 하며 강하게 만들어 달라는 것이었다.
그리고 다음 날, 오전에 찾아온 성재 어머니를 바라보니 부부싸움을 하였는지 심상치가 않았다.
한참을 망설이던 성재 어머니는 조심스럽게 "관장님! 성재를 가정 사정상 태권도를 가르칠 수가 없네요.- 하는 것이었다.

그래서 실례인 줄 알지만, 이유를 물어보아도 되냐고 하니 머뭇거리던 성재의 어머니는 "성재 아버지가 술을 좋아하다 보니 봉급 대부분이 술값 갚느라 늘 생활이 어려워요"하는 설명 끝에 이내 눈가에 눈물이 맺힌다.

순간, 할 말을 잃은 나는 어제 도복을 받아 들고 좋아하며 들떠서 나가던 성재의 모습이 떠오르며 마음이 아파졌다.
한참을 생각하다 나는 " 성재 어머니! 수강료는 나중에 형편 되시거든 주십시오. 그리고 성재에게는 아무 말씀도 하지 마시고 도장에 보내 주세요.라고 말하며 수강료와 도복 비를 돌려주니 성재 어머니는 죄송하다며 힘없이 사무실을 나갔다.
그렇게 나가는 성재의 어머니 등 뒤로 나는 다짐받듯이 성재를 꼭 보내 주십시오. 라며 힘주어 말했다.

가슴 조이며 오후 수련시간을 기다리니 수련 1시간 전에 성재는 하얀 도복에 흰 띠를 매고 도장 문을 들어섰다.
그렇게 시작된 성재의 수련 속에 두 번째 마주친 성재의 아버지는 도장 근처의 대건 청과 앞이었다.
모임이 있어 회식을 마치고 깊은 밤에 들어오는데 도장 근처 대건 청과 앞에서 성재 아버지는 한 손에는 막걸리를 두 병을 손에 들고 인사불성이 되어 앉아 있었다.
깜짝 놀라 가까이 가서 부축해 일으켜 집으로 모셔다 주려고 하는데 나를 알아보지 못하고 갑자기 뿌리치며 "지금 나는 하소동으로 가야 해…….- 하고는 다시 주저앉는다.
할 수 없이 성재네 집으로 전화했더니 성재 어머니께서 나와 모시고 들어갔다. 그리고 세 번째인 오늘은 심상치 않게 눈물부터 보이다니…….
궁금해하는 나에게 성재 아버지는 다음과 같이 설명하는 것이었다.

몇 달 전 성재를 도장에 입관시키고 난 그날부터 성재는 아버지가 아무리 늦게 들어와도 도복을 벗지 않고 기다리다 아버지에게 -안녕히 주무세요.- 하며 절을 하고 자는 데 문제는 다음 날 아침에 일어나 학교 갈 준비를 하는데 밤늦게 잔 성재가 잠이 모자라 잘 일어나지를 못해 온 동네 떠나갈 듯 엄마와 전쟁을 치른다고 했다.

그래서 혼자 생각하기를 "그 못된 태권도 관장이 나를 아주 말라 죽게 할 모양이구나." 하는 생각이 들어 성재 아버지는 문안 인사를 하지 말라 했지만 성재의 문안 인사는 그치지 않았다고 한다. 그래서 하루는 꾀를 냈다고 한다.

회사 동료와 술 한 잔을 하다 잠깐 다녀온다고 하고 집에 들어

가니 초저녁에 들어온 것이 도저히 믿을 수가 없다는 듯이 해가 서쪽에서 뜨겠다는 아내의 눈총을 뒤로하고 성재에게 "성재야! 이리 와서 문안 인사해라."하며 인사를 받고는 다시 나오려니 속내가 들킨 것 같아 그냥 나올 수가 없어 "성재야! 숙제는 다 했니?"하고 물으니 "오늘은 숙제 없어요." 하기에 "그럼, 이리 와 일찍 자거라." 하며 팔베개를 해주니 성재는 모처럼 일찍 들어와 관심을 두는 아빠가 좋은지 잠을 안 자고 "아빠! 우리 관장님은 날아가는 파리도 발로 차서 잡아요. 그리고 아빠! 관장님이 저보고 인사 잘해서 예의 바르다고 하셨어요." 하며 태권도장에서 일어나는 이야기를 듣다가 그냥 잠이 들었다고 한다.
잠을 자다 팔이 아파 깨어나서 보니 팔베개를 하고 잠이 들은 성재의 천진한 얼굴이 너무 예뻐 보였다고 한다. 그래서 한참을 바라보다 문득 부모님 생전에 문안 인사 한번 못 드리고 돌아가시고 나서야 큰절을 한 불효를 생각하니 걷잡을 수 없이 슬퍼져 베란다로 나와 소리 죽여 우는데 그것을 본 성재 엄마가 놀라서 무슨 일이냐고 궁금해 하기에 한참을 울다 "여보, 그동안 내가 잘못했소. 앞으로 술을 안 마실 수는 없겠지만 이제부터는 될 수 있는 대로 술을 조금만 마시겠다."라고 하니 아내는 그간의 힘에 겨운 생활이 떠올라 둘이 부둥켜안고 한참을 울었던 일이 있었는데 그 이후 지금까지 성재 아버지는 단 한 번도 술을 마시지 않은 가운데 오늘이 꼭 백 일째 되는 날이라는 설명을 듣고 나서야 나는 나와 술 한 잔이 아니고 차를 꼭 한잔해야 하는지를 알았다.

그날, 나는 내가 가는 이 길이 진정 보람된 길이라는 것을 깨달으면서 차 한 잔을 마시는 내내 그 어떤 말을 못 하고 그저 식어 버린 차와 함께 눈물을 삼키고 있었다.

태권도의 길을 걸어가는 나에게 몸은 세월과 함께 수련에 힘겨워하고 늙어 가시는 부모님께 불효는 점점 깊어만 가는데 그 마음 달랠 길 없어 오늘은 옛사람과 함께 오관산곡을 불러본다.

나무 닭을 만들어서
벽 머리에 깃들였네
이 닭이 울거들랑
그제사 임이 늙으소서

14. 태평양에 흘린 눈물

하와이 상공을 선회하며 날아오르는 비행기 안에서 스미스 사범이 전해준 편지를 보려다 문득 검푸른 동해안의 찾아오는 남대천의 연어들이 생각났다.

" 강원도 양양 남대천에서 떠난 연어는 하루 평균 14km, 1년에 5,000km 이상 항진하며 북태평양에 들어가기도 전 거친 환경과 천적들에게 많은 연어가 희생을 당합니다. 그러나 죽음의 위협도 그들의 진로를 바꿀 수는 없습니다.
북극해와 베링해의 극심한 추위 견디고 아시아와 북미에서 올라온 연어들이 교차하는 순간 바다는 끓어오릅니다. 혹독한 사투에 생존 연어는 20%뿐. 또다시 생명을 걸고 회유의 항로에 도전합니다.
별빛으로 항로를 잡고 멈추지 않는 질주로 달궈지는 해류.
5년 동안 치열하게 살아온 연어들이 동해에서 아련한 고향의 냄새를 찾아냅니다. 이제 산란절식(産卵節食) 하며 산란처이자 험난했던 항해를 마칠 양양 남대천으로 거슬러 오릅니다.
굶주림과 삼투압의 고통을 이기고 거침없이 폭포 위로 치솟아 오르는 장엄함. 극렬한 혼인색은 치열했던 삶의 상징 같습니다.
인간과 닮은 연어의 일생은 삶의 의미를 되새기게 합니다" -양양군의 연어 이야기 중에서-

왜? 갑자기 남대천으로 회귀하는 연어가 생각났는지 잘은 모르겠다. 그것은 아마도 세계의 수많은 인종이 어우러져 삶을 영위하는 하와이에서 태권도가 삶의 패러다임 중 하나로 형성되어 그들의 행복을 위한 수련으로 이어지고 있다는 사실과 내가 지금까지 깨달은 게 깊지 않은 태권도를 전하고 귀국하는 모습이 연어를 닮았다고 스스로 느꼈기 때문일 것이다.

지난 17세기 이래 몇 백 년 동안 세계는 뉴턴의 기계적 패러다임으로 형성된 새로운 세계관으로 끊임없는 변화 속에 발전을 거듭해 왔으며 그 영향력 아래 삶을 영위하고 있었지만 20세기에 접어들면서 세계는 급변하는 사회구조의 변화 속에 새로운 패러다임이 형성되기 시작했다.
그것을 아인슈타인 박사는 "광학의 근본 법칙"이라 했고, 에딩턴은 "우주의 형이상학적 법칙"이라고 말했는데 21세기의 새로운 패러다임으로 형성될 이 법칙은 엔트로피(Entropy:열역학의 제2법칙)이다.
열역학 제1 법칙은 "우주의 물질과 에너지 총량은 일정하므로 생성되거나 소멸 될 수 없고 오직 형태만 바뀌는 것"이며, 제2 법칙은 " 물질과 에너지는 한 방향으로만 바뀐다."라는 법칙으로 바꾸어 말하면 사용할 수 있는 에너지에서 사용할 수 없는 에너지로 바뀌는 것을 뜻한다. 이러한 법칙을 제러미리프킨은 [5] '엔트로피'라고 하는데 현대사회는 이 법칙에서 벗어날 수 없다는 것이다. 이것을 노벨상 수상자인 화학자 소다(Frederick Soddy)는 "모든 정치체제의 흥망성쇠, 국가의 자유나 속박, 산업의 움직임, 가난이나 부의 근본 그리고 모든 종족의 행복까지도 관장한다."라고 말했다. 그러나 엔트로피 법칙은 어디까지나 물질적인 세계에만 절대적이라고 한다.

5) 엔트로피(제러미 리프킨 著) 참고

우리가 사는 현실은 보이는 세계와 보이지 않는 세계가 공존하고 있으며 과거와 미래 사이에 지금(현실)이 있는 것이다.
지금의 이 현실에서 물질문명이 발달하면 할수록 현대인들에게 있어서 정신적 갈등은 증폭되고 도덕·윤리는 가치관의 혼돈 속에 빠질 것이다. 이러한 정신적 갈등과 도덕 윤리관의 혼돈을 바르게 세우고 해소할 수 있는 것은 생명의 존엄성과 인간의 행복을 추구하는 종교 또는 태권도와 같은 무도수련이다.

태권도는 수련을 통하여 자기를 발견하고 모든 존재를 인정하고 모든 존재와 조화를 이룰 때, 존재에 대한 존엄성 회복으로 이어질 수 있으며 또한 모든 존재에게 행복을 줄 수 있다고 믿기에 나는 태권도의 수련을 멈추지 않는 것이며 또한 수련을 통한 깨달음을 전하러 미국으로 향하기로 했다.

미국은 평소에 내가 가보고 싶은 나라였다.
세계를 주도하는 초강대국에 사는 사람들의 思考(사고)와 생활을 직접 접해 보고 싶었고 또 선수 시절 새벽마다 일어나기 힘들었던 나의 잠을 깨우고 운동화 끈을 굳게 묶을 수 있게 용기를 준 음악이 빌 콘티가 작곡한 영화 로키의 주제곡이었는데 영화 속의 주인공 로키는 밑바닥 인생에서 사회적 성공과 사랑하는 여인을 위해 글러브를 끼고 어렵고 힘든 현실과 목숨 걸고 투쟁했던 아름다운 모습에서 나는 무한한 용기를 낼 수 있었고 한 번쯤 미국을 다녀와야겠다는 생각을 가지게 했다. 그러던 중 애제자인 김병희 선수가 2000년 미국 US 오픈 국제 태권도대회에서 우승하는 인연으로 자매결연과 관광차 다녀오려고 했으나 하와이태권도협회에서 세미나를 개최하고 싶다는 연락을 받고 깊이 생각한 후에 강의를 수락하고 미국을 다녀오는데 필요한 일체를 제천관광 민장기 사장과 상의한 후 민사장의 세심한 배려 속에 나는 하와이로 향하는 비행기에 몸을 실었다.

어둠을 뚫고 태평양을 날아 하와이에 도착하니 아침이었다.
입국 절차를 밟으며 나는 태권도의 세계화에 대한 자부심을 한껏 느끼는 일을 겪을 수 있었는데 그것은 다른 관광객의 입국절차가 몇 분씩 오래 걸린 데 비해 방문지를 스미스 태권도장이라고 적힌 것을 본 공항직원이 "태권도 훈련(training)"하며 바로 통과시켜주는 것이었다. 비록 작은 일이었지만 나는 태권도의 세계화에 대한 긍지를 느낄 수가 있었다.

공항 밖으로 나가니 아이비의 부모가 처음 보는 나를 한눈에 알아보고 하와이 특유의 꽃다발을 걸어 주며 "알로하" 하며 맞이한다.

호놀룰루를 지나 가네오히로 가서 간단하게 중식을 마친 후 나는 너무나 궁금하여 (태권도로 세계킥복싱챔피언을 지냈고 레이건 미국 대통령 특별경호원의 경력이 있고 한국인이 아닌 외국인으로서 현지 사범을 역임하고 있는) 바비 스미스가 운영하는 하와이 최대의 태권도장인 스미스 태권도 센타로 향했다.

태권도 종주국에서 Master가 온다고 미리 소개되어서인지 질서정연한 태권도 수련생들의 진지한 수련 모습을 한참 바라보며 지난 1969년부터 수십 년간 수련한 태권도를 전하기에는 열흘

간의 시간이 너무 짧다고 생각되어 쉬지 않고 바로 도복으로 갈아입고 이들과 호흡을 같이 하기로 했다.
하지만 시차 적응이 안 된 상태에서 두 시간의 강의를 마치고서 세면을 하는데 갑자기 머리가 무겁게 느껴지며 코피가 쏟아졌다. 흘러내리는 피를 보며 문득 초창기 나의 선배들은 세계 각국을 돌며 수많은 피땀을 흘리며 태권도를 전하였을 것을 생각하니 가슴속 저 밑에서 솟아 나오는 형용할 수 없는 용기와 투지 생겼다.
" 그래! 이건 가치가 있는 일이다. 이 한 몸 으스러지더라도 종주국의 태권도를 배우고자 하는 이들에게 몸으로서 보여 주자. " 하고 생각하며 어금니를 꽉 물었다.
그러나 이들은 이미 세계태권도선수권대회에서 우승한 선수를 여럿 배출할 만큼 기본기나 기술적으로 가르칠 것이 없었다.
하지만 나는 그들에게 전해주고 싶은 것이 있었다.
그것은 지난 32년 동안 태권도 수련을 통하여 깨달은 바름(正)과 어울림(和)을 통한 삶의 행복을 추구하는 가치에 대한 것이었다.
하지만 쉬운 일은 아니었다.
우선 말이 통하지 않음으로써 나의 뜻이 제대로 전달되는지 알 수가 없었던 것이었다.
이러한 것 외에 나는 시차라는 적과도 싸워야 했으며 심지어는 시도 때도 없이 울어대는 닭(나중에 알았지만 새소리였다), 한밤에 스쳐 가는 소나기와 바람 소리와도 싸워야 했으며 음식문화의 차이로 인한 배고픔과도 싸워야 했다.
그렇게 이틀이 지나가니 모든 것을 포기하고 돌아가고 싶을 정도로 몸이 말을 안 들어 힘이 드는 가운데 삼 일째 되는 날 아침의 일이었다.
수련하러 오는 60대의 여성이 “Grandmaster Park! Aloha! ” 하는 인사에 귀를 의심했는데 이어 들어오는 수련생들의 이어지는 “Grandmaster Park! Good morning?”하는 인사에 나약했던 나의 의지를 탓하고 후회하며 반성했다.
Grandmaster!!
그랜드마스터!! 이것은 그들이 존경심을 나타낼 때 하는 최고의 찬사라는 것을 알고 있기에 나로서는 쥐구멍이라도 있으면 들어가고 싶은 심정이었다.

나는 다시 어금니를 꽉 물었다.
그리고 그들과 호흡을 같이 하기 시작했다.
그렇게 열흘의 시간이 흐르고 마지막 세미나에서 강의를 마치고 나오니
많은 태권도의 수련생들이 언제 다시 오느냐며 눈시울이 붉어지는 가운데
하와이에 주재하는 한국일보 기자에게서 인터뷰 요청이 왔다.

인터뷰하는 도중, 태권도의 전망을 질문받고 답하다 앞으로 외국에서의 태권도 사범은 한국인보다 외국 현지에서 외국인 사범들이 주도하는 시대가 올 것 같다고 말한 뒤 국내 태권도의 현실을 이야기하다 기어이 나는 눈물을 보이고 말았다.
말을 이어가지 못하고 모두 잘해야 하는데…. 잘해야 하는데……. 하며 눈시울을 붉히고 있는 나를 보고 누님 같은 기자의 눈도 어느새 붉어지고 있는데 스미스 사범이 의아해하며 왜 우느냐고 묻는다.

그래서 나는 한국일보 기자에게 " 스미스 사범님의 태권도에 대한 열정과 사랑에 감동하여 그렇다고 전해달라"고 했다.

인터뷰를 마치고 진주만의 푸른 바다 앞에서 나는 갈등했다. 1955년 최홍희 씨에 의해 태권도라는 명칭이 창안(創案)되어 탄생 된 오늘날의 태권도가 있기까지 살펴보면 다음과 같다.

(1) 1944년 우리나라에서 최초의 도장을 설립된 청도관의 이원국 씨(쇼토칸 카라테(松道館 空手道) 수련)
(2) 송무관의 노병직(일본대학교 가라테부에서 쇼토칸 카라 테를 배움. 후나 고시 기진에게 배웠으며 송도관에서 '송'을 따서 '송'무관이라고 관명을 정함)
(3) 연무관의 전상섭(청소년 시절에 유도를 배우고 동양척식대학교(일본) 가라테부에서 카라테를 배움. 한국전쟁 때 지도관으로 개칭함)
(4) 창무관의 윤병인(만주에서 주안(만주어:권법)을 배우고 일본대학교 가라테부에서 슈토칸 카라테(手道館 空手道)를 배움. 슈토칸 카라테의 창시자 '도야마 간켄'과 무술 교류하며 가라테 5단이 되었고 카라테부 지도사범 역임)
(5) 무덕관의 황기(만주에서 담퇴1, 2로, 태극권(지금의 중국 태극권인지 분명치 않다)등을 배우고 1946년 철도국 도장시절 카라테를 서적으로 연구 후에 무예도보통지를 연구하여 수박도로 개칭)
(6) 오도관의 최홍희(중앙대학교(일본) 카라테부에서 카라테를 배움)에 의해 시작된 귀국당시 빨간띠였다는 증언이 있다.

태권도라는 명칭이전의 초기에는 공수 또는 당수로 불리며 만주 권법(이것은 현재의 중국무술과는 다른 고구려나 발해의 무예로 보아야 한다.)과 일본 가라테를 수련한 분들에 의해 시작되었으며 당시로 기술체계가 좋은 가라테의 기술체계를 도입하여 수련하였다.
이러한 것은 역사적 사실이며 이후 우리는 최홍희씨에 의해 태권도라는 공식명칭을 확정하고 정치적인 문제로 캐나다로 망명한 최홍희씨에 의해 ITF태권도는 무술적 가치를 지닌 사인웨이브를 발견하고 틀에 접목시켜 독특한 태권도를 완성시켜 왔으며, WTF태권도는 우리의 몸짓과 발질이 가미되고, 창의적인 격투기술을 발전시킨 후, 태권도 경기화를 통하여 독특하고 실전적인 기술체계를 완성시켜왔다. 이러한 사실적 역사를 인터뷰에서 나는 말하지 못했다. 그리고 또 한 가지 나를 혼란에 빠트린 것은 자청해서 통역을 맡아준 찰리 모친의 질문 이었다.

찰리는 미국 본토에서 ITF태권도를 4년간 수련하였다.
그리고 부모를 따라 하와이로 와서 WTF태권도장에 입관하니 이전에 배운 ITF태권도를 인정하지 않는데 도대체 뭐가 다르기에 같은 한국에서 보급된 태권도를 수련하는데 왜 인정하지 않는 것이냐는 것이었다.
나는 대답 대신 지금 내가 여기(하와이)에 와서 말하고 싶은 것은 태권도를 통한 깨달음과 그것을 통한 실천으로 보다 나은 삶을 위한 행복을 추구하기 위한 가치 있는 것을 전하는 것이라고 했다.

태평양의 검푸른 물결을 바라보며 조국의 상황과 태권도의 현실을 직시하니 연어의 신비처럼 태권도는 나에게 형용할 수 없는 서글픔과 희망이 교차되어 밀려오고 있었다.

연어는 신비를 지닌 생명체다
연어가 그 먼 베링해에서 어떠한 추적 장치로
모천인 남대천으로 오는지,
남대천이 모천인지 무엇으로 기억하는 지,
왜 모천에서 산란해야 하는지,
산란 후 왜 그토록 빨리 죽어야 하는지를 아는 사람은 없다.
연어가 떠나는 봄, 연어가 돌아오는 가을,
남대천은 연어에게 묻지 않는다.

왜 그 먼 길을 찾아 내게 오는 지를.
단 그 생명의 안스러움을 가슴에 묻어둔 채 생명수로 흐르고 있다. -연어의 신비 중에서 -

그렇다. 태권도는 묻지 않는다.
영원히 내게 묻지 않을 것이다.
다만 나를 지켜보며 수련을 멈추지 않는 나의 곁을 떠나지 않을 것이다. 그런 내게 스미스 사범은 말했다.
내가 가는 길을 그도 가겠노라고…….

15. 하늘의 소리

수련을 통하여 나는 하늘을 보고 땅을 보고 하늘과 땅의 소리를 듣고자 했다. 그러나 하늘과 땅의 소리는 들으려고 하면 들리지 않았고 보려고 하면 보이지 않았다. 하지만 한 치 앞도 보이지 않는 현실 속에서 목숨을 담보로 나의 삶을 수련 속에 던지니 태권도는 스스로 문을 열어 그 실존의 소리와 모습을 보이기 시작했다.

그랬다. 들리고 보이는 하늘의 소리는
태권도의 길은 聖人의 길이 아니라 全人의 길이었다.

성인(聖人)은 하느님, 남신과 여신, 영적 세력, 신비로운 영역, 그밖에 여러 가지 방식으로 거룩한 것(초월적인 영역)과 관련되어 있다고 믿어지는 존재(存在)를 말한다.

세계 여러 나라의 [6]종교에서는 종교인들이 공적인 선포를 통해 성인으로 추대되었으며, 이들은 각계각층의 신자에게 매우 큰 영향을 끼쳤다.

BC 6세기경 공자를 중심으로 한 중국의 유교에서 성인의 경지는 몇몇 이상적인 '초기 성군(聖君)들'의 삶에서 가장 잘 드러난 윤리적 완성의 상태라고 보았다.

---

6) 위키백과 참고

비슷한 시기에 중국에서 일어난 도교에서는 성인의 상태를 좀 더 신비스럽게 설정하여 침착하게 자연의 도를 받아들이는 것으로 보았다.

일본 토속 종교인 신도(神道)에서는 많은 신비스러운 성인들을 숭배하지만 선하든 악하든 모든 인간이 죽은 후에 초자연적인 존재가 된다고 믿는다.

소승불교에서는 열반의 경지에 이른 모든 불자(佛子)들, 특히 승려들을 아라한(阿羅漢 : '성인'과 거의 일치하는 개념)으로 인정한다. 이와 대조적으로 대승불교에서는 모든 사람이 부처, 즉 성인이 될 가능성을 갖고 있다고 본다. 다른 사람들의 영적인 성숙을 돕기 위해서 자신의 깨달음을 연기(연기론은 불교를 대표하는 가장 뛰어난 이론이다)하는 사람을 보살(菩薩 : 장래의 부처) 이라고 하며, 이들을 성인으로 간주한다.

티베트의 탄트라 불교는 성인의 범위를 한층 더 넓혀서 과거의 성인이 환생한 존재까지도 포함한다.

인도의 자이나교는 이 종교의 창시자 마하비라(Mahvra : 대영웅)를 성스러운 예언자 서열에서 24번째에 해당하는 인물로 숭배한다.

인도의 대표적인 종교 힌두교에는 다른 종교의 성인들을 포함하여 '사두'(sadhus : 선한 사람)와 아바 타르(신이 인간의 모습으로 환생한 존재)로 간주하는 인물이 많다.

서양의 경우 고대 그리스 종교의 영웅은 많은 점에서 성인과 비슷하다.

조로아스터교와 파시교에서는 '프라바시'(Fravashis), 즉 본성이 선하며 선재(先在) 하는 영혼들을 인정한다.

히브리 〈구약성서〉에서는 하느님의 백성으로 선택된 모든 유대인에게, 신약성서에서는 그리스도교 교회 구성원에게 성인(성도)이라는 용어를 사용했다. 그러나 6세기부터는 교회에서 공식적으로 숭배를 받는 죽은 신자들에게 특별히 붙이는 시성이라는 영예로운 칭호가 되었다.

이슬람교의 신학은 성인 개념을 명백히 부정하지만 여러 시대에 걸쳐 몇몇 거룩한 사람들, 즉 하느님의 '친구'(wal)들을 일반 대중이 숭배해왔으며, 이들은 기적과 신적인 능력을 발휘했다고 한다.

이러한 성인의 길과 달리 인류와 함께 발달해온 무술은 시대마다 그 용도와 기법이 달랐으며, 추구하는 이상도 달랐으나 공통적인 것은 강함을 추구하는 기술의 발달이며 기술의 완성을 위한 끝없는 수련이었다. 이러한 무술의 강함으로 인하여 수련하는 사람에게는 사회적 정의를 위해서 올바른 인격을 동시에 요구하는데 이러한 관점에서 무술의 수련은 곧 전인교육으로 이어져야 한다고 하는, 어디선가 알 수 없는 나의 내면 깊숙한 곳으로부터 들려오는 '하늘의 소리'가 들렸다.

全人教育(전인교육)은 육체와 정신을 나누는 이분법적인 철학이나 교육을 지양하고, 인간을 인지적, 정의적, 기능적, 신체적 측면 등 전 부문에 걸쳐 조화롭게 발달시키려는 교육. 인간교육, 인본주의 교육이라고도 한다.

전인교육은 소극적인 의미와 적극적인 의미로 나누어볼 수 있다.

소극적인 의미란? 이전의 교육관행과 사회를 비판하는 증거로 사용되는 것을 말한다. 플라톤이 아테네 교육의 교육상황을 비판하여, 체육교육은 신체와 관련되고, 음악교육은 정신과 관련된다는 관점을 거부하고, 이 교육이 모두 전인격적 교육으로 통합되어야 한다는 주장을 한 것이 대표적인 예이다.

우리나라의 경우 1895년 고종이 교육에 관한 조서를 발표하여, 지육(智育)덕육(德育)체육(體育)을 모두 중시해야 한다고 하여 조선시대의 경학 중심교육을 비판했다. 이러한 비판적인 의미와 함께 전인교육의 적극적인 의미는 시대에 따라 변화하면서 새로운 교육관과 철학의 패러다임을 제시했다.

고대 그리스의 전인교육론은 지식을 중심으로 인간의 의지와 정서가 내적 질서를 유지하는 정의로운 인간을 기르는 교육으로 이해되었다.
이 전통은 이후 르네상스 인문주의 교육에 영향을 미쳤으나, 점차 단편적인 언어에 대한 지식교육으로 변질되었다.

중세에는 고대의 전인교육관이 신에 대한 경외심을 중심으로 재조직되었다.

근대에는 이것에 반발하여 인간의 본성을 긍정적으로 파악하여 타고난 자연성(自然性)을 계발하는 자연주의 교육철학이 등장하여 전인의 의미가 자연인으로 이해되기도 했다.

이러한 의미에서 보면, 전인교육은 시대마다 교육을 새롭게 재정립하는 시도를 통하여 형성되어왔다고도 할 수 있다.

현대의 전인 교육론은 현대산업사회의 물질만능주의, 규격화된 제도에 따르는 인간 소외현상을 비판하고, 다른 한편으로는 전통교육의 강한 영향을 받는 지식 중심의 교육을 반대하면서 나타났다.

학교 교육의 목적이 산업발달을 위해 교육의 효율성을 높이는데 치중하는 것이어서는 안 되고 인간다운 사회를 창조해갈 수 있는 인간교육에 주목되기 시작했다.

C. R. 로저스는 이것을 **만능기능인(fully functioning person)**으로 정의하여 **자아실현(自我實現)을 전인교육의 주개념**으로 제시했다. 또한, 교육 심리학자인 A. 매슬로는 개인의 재능 능력 가능성을 최대한으로 사용하고 계발하는 교육을 주장했고, 그러한 인간의 특성으로 자발성, 수용적 태도, 민주적 인격, 공동체적 감정, 창의성 등을 제시했다. 이러한 경향은 교육이 인간특성의 전체적인 발달을 도모해야 한다는 의식을 반영한 것이다. 따

라서 인간의 지(知)정(情)의(意)를 전면적으로 계발한다고 하는 경우에도 이러한 구분은 편의적인 것이며, 중요한 것은 교육이 전인격과 관련되어 있다는 인식이 필요하다. 현대사회의 전인교육에서는 이러한 관점에서 학습자의 능동적 주체적 창의적인 참여를 강조하며, 학교 교육만이 아니라 가정교육 사회교육 등의 조화로운 관계를 중요시한다.

전인교육을 통한 인간완성의 길은 곧 태권도의 나아 갈 방향을 제시한다.
개인의 건강을 지키고 인격을 성숙시키고 사회적 정의를 실현시켜 세계 평화와 인류의 행복을 이끌어 가야 하는 것이 **태권도가 추구해 나가야 할 화두인 전인교육 수련**인 것이다.

16. 手의 비밀

황대권 작가는 야생초 편지에서 ′토종이 사라진 사회, 토종이 사라져도 아무도 슬퍼하지 않는 사회, 그런 세상에 살고 있다. 지금 우리는…….′이라고 했다.
글을 읽으며 더욱더 가슴이 저미는 슬픔을 느끼는 것은 우리의 사라진 전통무예와 많은 단체가 전통무예라고 역사를 왜곡하고 있는 현실에서의 초조함과 태권도와 조선, 고려 그리고 삼국시대를 넘어 고조선 아니 그 이전부터 이 땅에서 살아온 조상들이 남긴 위대한 전통을 잃어버리며 살아가고 있다는 어리석음과 못남 때문에 이였는데 우연한 기회를 통하여 대한민국을 세계만방에 알리고 무예 스포츠로 승화되어 올림픽 정식종목으로 채택된 태권도와 문헌상으로 세계 최고 오래된 기록인 우리의 전통무예 수벽치기(수박, 수박희)와 만남은 그야말로 한줄기 빛이 아닐 수 없었다.

수벽치기를 처음 접한 것은 2001년 6월 경원대학교에서 아시아 태권도연맹 주최로 열린 세미나에서 태권도와 수벽치기의 만남을 통해서였다. 이전에는 막연히 수벽치기보다는 수박, 수박희라는 명칭으로 문헌상으로 볼 때 세계에서 가장 오래된 기록으로만 볼 수 있는 전설 속의 무예로 알고 있었는데 육태안 전인의 시연을 통하여 수벽치기를 접한 나는 놀라움을 금치 못하며 "태권도가 우리 민족 무예로 거듭 나기 위해서는 수벽치기와의 접목이 이루어져야 한다. 태권도의 정체성을 해소하고 민족 무예의 맥을 이어 가기 위해서는 수벽치기가 태권도 안에 들어와야 한다. 그래야 일제 36년을 뛰어넘어 고조선으로, 삼국시대로, 고려로, 조선으로, 대한민국으로 영원히 이어져 가는 민족 무예라는 ” 생각을 하게 되었다. 이러한 수벽치기가 그 은밀의 장막을 뚫고 세상 밖으로 나온 것은 다음과 같다고 한다.

태껸의 송덕기 옹에게 1972년부터 틈틈히 시간을 내어 충주에서 서울 오가며 약 2년 동안 지도를 받은 후 충주에서 태껸의 완성을 위해 불철주야 노력하며 자료를 찾아다니던 신한승옹은 우연히 공원에서 특이하게 손뼉을 치며 운동을 하는 한 노인을 만났다고 한다.
처음에는 노인에게 신분을 숨기고 사사 받고자 했으나 노인은 거절하며 마음을 열지 않기에 할 수 없이 신분을 밝히고 후세에 길이 물려 줄 사명감을 피력하며 설득하여 몇몇 기법을 전수 받았다고 한다. 그리고 전국을 돌며 전통무예를 정리하던 육태안씨를 타계하기 반년 전에 운명적으로 만나 수벽치기를 전수하고 임종을 지켜 주던 육태안 씨에게 수벽치기의 복원을 당부하며 세상을 떠났다. 이후 육태안 씨는 몇 년을 천신만고 끝에 신한승 옹에게 수벽치기를 전수하였던 김일동 전인을 찾아 삼고초려의 심정으로 정성을 다하니 이에 감동받은 김 전인은 부족했던 부분에 대한 기법을 전수하여 고려청자의 비법과 함께 영원히 사라질 뻔한 민족 무예 수벽치기(수벽타, 수박, 수박희)는 세상 밖으로 나오게 되었다고 한다. 그러나 김일동전인의 수벽치기는 체조에 지나지 않는 것이다. 하지만 전통을 이어간다는 측면에서 보면 손뼉치기 몇 가지와 한두 가지 호흡법만으로도 아주 중요한 것이다.

이러한 내용과 자료를 육 태안 전인을 통하여 접한 나는 의문이 있었으나 자료를 정리하던 중 인간문화재 송덕기옹의 태껸을 박종관씨가 정리하여 놓은 교본을 보다 책갈피에서 예전에 스크랩하여 놓았던 기사를 발견하였다.

7)

1987년 5월 1일 발행 '아시아에 꽃피운 우리의 [illegible]'

등잘시다

우리의 몸짓과 표정, 그리고 혼이 담겨 있는

민족무술 택견에 일생을

辛 漢 承 (중요무형문화재 76호) 4320년 / 1987년 타계 <별세>

동양무술 가운데 가장 오랜 역사를 지닌 택견의 이론과 실기를 정립하기 위해 교직까지 포기해야 했던 신한승씨. 택견은 외부로부터 자신을 보호하는 수단뿐만 아니라 선비정신과 민족정신을 함께 배울 수 있다고 말한다.

충주를 우리나라 무예의 고장으로 만들겠다는 강한 일념을 불태우고 있는 무형문화재 76호로 지정된 신한승씨. 「택견」으로 단련되었기 때문인지 얼핏보아도 정연한 자세와 칼날같은 눈빛, 그리고 무쇠같은 손에서 무예에 보통이 아님을 느낄 수가 있다.

중국의 경우 쿵후(권법)가 1,500년 전에 소림사에서 시작되었고, 일본의 가라데는 약 500년전 오끼나와에서 시작된 데 비해 우리나라 고유의 무술은 2,000여년 전인 삼국시대부터 행해져 동양무술 중에서 가장 오랜 역사를 지니고 있다.

오늘에 와서 태권도가 國技로 국위선양을 비롯해 대중 스포츠로서 각광을 받고 있지만 과거에는 궁중이나 고위신분을 지닌 사람들만이 우리의 고유 무술을 배울 수 있었기 때문에 「제왕운기」나 「조선상고사」에 소개된 우리의 "택견"이나 "수벽치기"등의 무술이 점차 모습이 사라져 가고 있는 실정이다.

『해방 후에 우리의 언어는 되찾았지만 고유의 몸짓과 표정은 되찾지를 못했읍니다. 민족정신이란 언어뿐만이 아니라 모든 행동양식에도 깃들어 있기 때문에 반드시 우리의 몸짓도 되찾아야지요』

동북아시아에 많은 민족이 있었으나 현재 불과 몇 몇 민족만이 남아있는 것은 뚜렷한 민족사관이 정립되어 있지 않아 외국문물에 승화되어버린 까닭이라고 덧붙이면서 고유문화에 영양을 공급하지 않으면 그 문화는 언젠가는 승화되어 버리고 만다고 역설한다.

『중국의 무술은 대륙적이고 신비를 추구하기 때문에 과장이 많고, 일본의 무술은 단조로우며 허세가 많은데 비해 우리의 고유무술은 곡선의 몸짓이며 순박한 맛이 있읍니다. 각 무술마다 그 나라의 민족성이 들어있기 때문이지요. 그러나 요즘은 영화나 비디오의 영향으로 우리의 무술이 과장되어 가는 듯해 안타깝기 그지없읍니다』.

형편이 좋은 가정에서 태어나 어려서부터 각종 연회에서 베풀어지는 우리 고유의 음악과 춤, 그리고 무술들을 눈으로 익힌 그가 대학에서 체육을 전공했던 까닭도 바로 우리의 몸짓을 되찾고 연구하기 위한 바탕을 마련하기 위한 것이었다. 한때 교직생활도 했었지만 이론정립을 위한 자료수집과 스스로 각 동작을 계속 연마해야 했기 때문에 교직도 포기했다. 그만큼 그의 우리것을 되찾아야 한다는 의지는 강했다.

많은 발표회를 통해 일반인들에게 다소 알려지자 그의 무예를 배워보겠다는 인물이 나섰으나 5년이라는 수련과정을 마친 세자는 지금까지 겨우 2명, 현재 9명의 수련생들이 체육관에서 땀을 흘리고 있어 조금은 안심이 되나 그의 마음은 더욱 많은 인물을 배출하고 싶어한다.

『아직 할 일이 너무 많아요. 제자들을 모두 훌륭하게 키워내야 하는 것은 물론이지만 수벽치기의 원형도 더 연구해야 합니다. 수벽치기는 택견과 함께 남아있는 유일한 고유무술이거든요.』

택견이나 수벽치기나 모두 부드러운 곡선의 몸동작이 사뭇 풍유적이며 자연스럽기 그지없다.

또한 걷어차기, 제차기, 덜미잽이, 후려차기 와 같은 용어만봐도 토속적인 냄새를 흠씬 느낄 수 있다. 단순히 외부로부터 몸을 보호하기 위한 수단이 아니라 택견을 수련함으로써 참 선비정신과 민족정신을 배우는 것이 더 중요하다고 강조하는 신한승씨는 사상은 시대에 따라 변할 수 있으나 전통문화는 결코 변화되어서는 안된다고 말한다.

7) 1987년 5월호 '아시아에 꽃피운 우리문화' 중에서

그것은 신한승 옹이 타계하기 전인 1987년 5월에 동방생명에서 발간된 '아시아에 꽃피운 우리 문화'라는 매거진인데 태껸 전수관에서 단 두 명만이 5년의 과정을 마쳤고 지금은 9명의 수련생이 수련하고 있어 마음이 놓인다는 것과 태껸과 더불어 쌍벽을 이루는 수벽치기를 복원해야 한다는 기사였는데 이것은 태껸의 인간문화재 신한승 옹이 임종을 지켜 주던 육태안 전인에게 민족 무예의 지킴이로서의 사명과 함께 모든 자료를 물려주었다는 것을 믿을 수 있게 하는 결정적인 것이었다.

수벽치기는 그렇게 소중한 인연으로 나에게 다가왔다. 하지만 수련을 통한 수벽치기와 태권도의 접목은 기법 상 많은 차이점이 있었고 개인적인 사정상 너무 힘들고 어려웠으나 민족무예의 지킴이라는 투철한 사명감을 가진 육태안 전인의 적극적인 思考(사고)와 配慮(배려)로 최선을 다하던 어느 날, 고려대학교 대학원에서 史學(사학)을 전공하는 허인욱 군과 우연히 자리를 같이 하게 되었고 그 자리에서 허 군과 나는 다음과 같은 대화를 나누었다.

- 관장님! 우리나라에 세 명의 의적이 있다고 하는데 아십니까?
- 한 명은 홍길동이고 또 한 명은 임꺽정, 그리고 나머지 한 명은 장길산이 아닌가?
- 네! 맞습니다. 그런데 그들의 행방을 혹시 아십니까?
- 임꺽정은 관군에게 사살되었다고 하고, 장길산은 잘 모르겠고, 홍길동은 오키나와에 율도 국을 세웠다고 하던데......
- 네! 맞습니다. 임꺽정은 사살되었고 장길산은 아직도 그 행방을 아는 사람이 없고, 홍길동은 그의 무덤이 조사결과 오키나와

에 있는 것이 사실로 판명 되었고 그 후손이 지금도 오키나와에 살고 있다고 합니다.

' 오키나와 '

나는 오키나와라는 말에 마치 천 년 동안 잠을 자다 깨듯 정신이 퍼뜩 들었다. 오키나와는 일본 가라테(空手)의 모태가 되는 곳이 아닌가? 그런 오키나와에서는 무술을 일컬어 테(手)라고 했다.
'오키나와 테!'
이 오키나와 테는 당수라는 명칭도 있지만 1625년 明나라의 진원빈이 권법을 가르친 기록과 오오시마 필기 제3권에 기록되기를 6년 전(1756년) 류쿠 왕국에 청나라 사신이 왔는데 그 호위무관으로 온 공상군(公相君)이라는 사람이 조합술(組合術)이라는 주먹 기술을 보여 주고 이를 류쿠 사람들에게 가르친 이후에 쓰인 명칭인 것이다. 하지만 중국 무술이 전해지기 전이나 전해진 후에도 오키나와에서는 여전히 무술을 말하거나 표기할 때는 테(手)였다. 그렇다면 오키나와에서는 왜? 무술을 일컬어 테(手)라고 하였는가?
참으로 의문이지 않을 수가 없었는데 이러한 手의 비밀에 대하여 육태안전인은 수박(手搏)에서 오끼나와 인(人)들은 쓰기 쉽게 搏자를 생략하고 手라고 한 것이 아니겠느냐고 하였는데 나의 생각은 금무 정책의 영향으로 오키나와 인들이 서로에게 은어(隱語)로 전해진 명칭이 아닌가 생각한다. 그렇다면 오키나와 테(手)는 조선에서 건너 간 무술임이 분명한 것인데, 과연 누가 우리의 전통무예를 오키나와에 전하였는가? 이것은 홍길동이라는 실존 인물을 통해서 전하여 졌을 것이라는 확신이 든다. 여기에 대한 기록을 토대로 정리하면 다음과 같다.

1. 옛 류쿠왕국에는 토착 무술이 있는데 그 이름을 테(手)라는 명칭으로 불렸으며 중국에서 건너온 唐手(당수)라고도 하였다.
2. 이러한 오끼나와에서 무술을 唐手(당수)라고 부르는 근거는 다음과 같다. 1625년에 명나라 사람 진원빈이 류쿠에 와서 가르쳤다는 기록이 있으며 사꾸가와가 1700년 중국으로부터 당수를 배워 전했다고 하며 가장 정확한 기록으로 남아 있는 것은 오오시마 필기 제3권에 6년 전(1756년) 류쿠 왕국에 청나라 사신이 왔는데 그 호위 무관으로 온 公相君(공상군)이라는 사람이 組合術이라는 주먹 기술을 보여 주고 이를 류쿠 사람들에게 가르쳤다는 기록이 있다.
3. 진원빈이나 공상군 또는 사꾸가와 등이 중국 무술을 전하여 당수라는 명칭이 불리기 전에 중국무술을 전한 기록보다 앞서는 것은 '홍길동이 조선의 병법과 무술을 전해준 것인데 홍길동이 오끼나와 파조간도로 가서 율도국을 세우고 해상왕국을 건국한 사연은 다음과 같다.

① 세종 22년(1440년)에 전라도 장성현 아차곡(아치실)에서 태어난 홍길동은 서얼의 관리 등용을 금지 하는 경국대전의 반포로 과거시험을 포기하고 집을 떠나 나주목 관할 장성현, 갈재(葦嶺)를 중심으로 활동하다가 광주 무능산, 영암 월출산에 본거지를 정하고 주로 탐관오리와 토호의 재산을 빼앗아 가난한 백성에게 나눠 주는 의적 활빈 활동을 하였다. 그 후 지리산 근처의 경상도 하동군 화계현 보리암자에 지휘부를 두고 관군과 대항하

였으며, 멀리 경상도 진주에까지 세력을 펼쳤다가 이 후 김천 황악산에 들어가 학조대사에게서 병법과 무술(수벽치기)를 배웠다. 1500년(연산군 6년) 10월 22일 무오사화(1498년)로 인해 상당수의 사림파가 목숨을 잃거나 귀양을 가게 되고 수년에 걸친 전국적인 가뭄으로 조정에 대한 백성들의 원성이 하늘을 찌르자 민심을 수습하기 위해 교도소에 갇힌 죄수들을 석방하여 가족과 함께 함경도지방에 가서 살도록 하는 대 사면령을 내림. 이로 인해 홍길동 집단도 자의반 타의반으로 체포되는 형식으로 자수한 이후 1500년(연산군 6년) 11월에 남해(南海) 삼천리 유배형을 받고 1500년 12월 5일 하떼루마지마 (파조간도)에 정착하였다.

② 1501 ~ 1503년 이시가키지마(석원도) 오하마무라(대병촌) 후루수토지역에 집단거주지 조성하고 인근의 지배권을 장악(죽부도, 서표도, 여나국도…)하였다. 1504년 미야코지마(궁고도)의 추장인 나카소네의 혹독한 압제와 과중한 세금으로 고통에 시달리던 원주민을 규합하여 전쟁에서 승리하고 나카소네 집단을 섬의 동북부 밀림지역으로 몰아내고 상비옥산(上比屋山)에 조선 도래인들의 집단주거를 위해 초가집 군락을 조성하였다. 1505 ~ 1508년 구메지마(久米島)에 상륙, 추장인 마다후쓰를 몰아내고 일본, 유구국, 중국을 상대로 중계무역을 하면서 동지나해의 해상권을 장악 섬의 요처에 적으로부터 방어하기에 유리한 조선 양식의 성(城)을 구축하였다.

③ 1510년 한문본 홍길동전인 위도왕전에서 그의 나이 70세에 사망한 것으로 기록되어있다.

위와 같은 홍길동의 기록으로 보아 중국무술이 공산군이나 진원빈에 의해 오키나와에 전해지기 전에 이미 홍길동에 의해 1500년 12월 5일 이후 조선의 문화, 그리고 무예와 병법이 확실히 전해 졌으며 이러한 기록은 1609년 일본 왜국 시마즈가 류쿠를 오끼나와로 지배하면서 禁武(금무)정책을 취했고 류쿠인들은 그 정책에 맞서 맨손 격투술을 더욱 발달 시켜 왔다는 기록보다 백년이나 앞서는 것이다.

오끼나와 테를 최초로 空手(공수)로 표기한 것은 하나기 쵸모(花城長茂,1869-1945)로써 1906년이다. 그러나 이후에도 공수(空手)보다는 당수(唐手)라는 명칭이 많이 쓰였는데 공수도로 정착되기 시작한 것은 후나고시 기찐이 오키나와 테를 일본의 실정에 맞게 명칭과 기술들을 변형시켜 보급하기 시작한 1920년대 이후이며 공수도(空手道)라는 한자표기로 통일 된 것은 일본이 군국주의로 감에 따라 미야기 쵸준, 하나기등이 중국을 떠올리는 당수라는 명칭대신 공수로 하자는 제안에 따라 공수로 통일한 1936년도이후이다. 이러한 가라테(공수)가 대한민국에 처음 보급된 것은 일본에 유학한 학생들이 가라테를 배워 귀국하면서 시작된 것으로 1944년 개관한 청도관의 이원국을 비롯 노병직, 전상섭, 윤병인, 최홍희등이 귀국하여 보급하면서부터였다. 그러나 여기서 빼놓을 수 없는 것은 전상섭 관장은 유도를 수련했고, 윤병인 관장은 가라테이전에 우리나라의 옛 영토인 만주에서 어린시절을 보내며 만주권법(일명 상백권법)을 배워 상당한 경지에 이룬 이후 일본으로 유학을 갔다. 일본 유학시절 가라테 수련생들을 혼내 준 것을 계기로 후나고시와 쌍벽을 이루던 도야마 칸켄 교수에게 인정받아 서로 교류하기로 하고 곧바로 4단으로 昇

段(승단)하여 대학 내 사범이 되어 학생들을 지도하였으며, 무덕관의 황기관장은 일본에 유학하지도 않았고 가라테를 배우지 않았으며 만주에서 중국 무술인 태극권과 담퇴 2로를 수련 후 귀국하여 가라테의 수련체계를 도입하여 지도하다 무예도보통지를 접하고 복원을 시도하며 수박도를 창시하였다. 이러한 사실들은 태권도가 초창기 가라테만을 도입한 것이 아니라는 증거이다. 이후 경무대 무도사범이었던 사운당 박철희 사범은 전통무예에 관심을 갖고 1958년 태껸의 송덕기옹과 만나 60년 로마올림픽에 사진(송덕기옹과 함께 촬영)으로 한국문화를 알렸고, 많은 논란(최홍희씨에 의해 1955년 4월 11일 태껸의 어원에서 태권도로 창안) 끝에 1961년 9월 19일 협회명칭을 태수도로 잠시 불리던 것을 1965년 8월 5일 대한태권도협회로 개칭하였다.(1963년 제44회 전국체전에 정식종목으로 채택된 것은 태수도였다.) 이후 태껸과의 접목, 그리고 스포츠화를 이루며 김운용 총재(경동중학교시절 윤병인 사범에게 사사 받음) 체제 하에 새로운 형태의 무예스포츠로 세계화 되어 오늘에 이르렀다.

태권도와 수벽치기의 만남은 우리민족의 역사적인 관점에서 볼 때 대단한 의미가 있는 것이다. 그것은 태권도의 출발선에 가라테가 있었고 가라테의 모태는 오끼나와 테였기 때문이다. 또한 오키나와 테의 모태는 다름 아닌 우리 고유의 무예로 문헌에 기록되어 있는 조선 중기 이후 민속놀이로 발전된 태껸 이전의 무예인 수벽치기(手癖打), 수박(手搏·手拍) 수박희로서 홍길동 이전에는 누가 전하였는지 알 길이 없으나 홍길동이 파조간도로 자의반 타의반으로 간 이후 우리의 무예가 오끼나와에 전하여 졌으며 이후 금무정책으로 인하여 오끼나와인들은 수벽(박)에서

쓰기 어려운 박(搏), 벽(癖)자는 생략하고 은어로써 테(手)라고 불리워진 동기가 되었을 것으로 확신한다.

17. 태권도를 말한다.

제천 의림지에는, 우륵이 살던 마을의 일러 우륵대미라고 했고, 우륵이 마시던 샘물인 우륵정, 가야금을 타던 제비바위 (연자암) 등이 수백 년 된 노송과 함께 기울어 가던 가야에서 신라로 망명하여 예술의 혼을 지켜낸 천년세월 저편에서부터 전해져 오는 우륵 선생의 이야기가 있다.

[8]우륵은 가야금의 명인으로 6세기 중엽에 활동했다.
가야금은 가야국(加耶國)의 가실왕(嘉實王)이 당나라 악기를 보고 금(琴)을 만든 후, 여러 지방의 방언이 각기 다르니 성음(聲音)을 어찌 일정하게 할 것인가 하며 성열현(省熱縣 : 신라 시대 제천 청풍의 옛 지명이 사열이 현이며, 신라, 고구려, 백제 삼국의 치열한 전쟁터 중 한 곳이다) 사람인 그에게 12곡을 짓게 했다고 한다. 그 후 가야국이 어지러워져 우륵이 가야금을 가지고 신라 진흥왕에게 투항하니, 왕이 받아들여 국원(國原 : 지금의 충주)에 편히 거처하게 하고 대나마 법지(法知)·계고(階古)와 대사(大舍) 만덕(萬德)을 보내 전수하게 했다. 세 사람이 11곡을 전해 받고 서로 말하길 -이것은 번다(繁多)하고 음란하여, 우아하고 바른 것이라고 할 수 없다-라며 그것을 요약하여 5곡을 만들었다. 우륵이 처음에는 화를 내다가, 그 5곡의 음조를 듣고는 눈물을 흘리며 탄식하기를 -즐겁고도 방탕하지 않으며, 애절하면서도 슬프지 않으니 바르다고 할 만하다. 왕의 앞에서 연주하라-라고 허락했다 한다. -

---

8) 브리태니커 다음 백과사전 참고

우륵은 왕명으로 국원(충주)에서 잠시 몇 년 지내다 고향인 [9]청풍(성열현)으로 돌아가고 싶었으나 고향과 조국을 버린 죄책감으로 돌아가지 못하고 인근의 용두산 자락에 거처를 정하였다.

용두산 자락에서 흘러나오는 냇물과 땅에서 솟아 나오는 샘물이 합쳐지는 제비바위(연자암) 아래에 둑을 막아 멱을 감으며 더위를 피하던 우륵 선생의 정취가 느껴지는 의림지에서 나는 참으로 귀한 인연 속에 사운당 박철희 사범님을 만났다.

사운당 박철희 사범님은 1946년도에 윤병인 관장으로부터 만주권법을 사사받던 중 1950년 6.25전쟁에 장교로 참전 후, 경무대 무도사범으로 재임하면서 1958년에 우리나라 전통무예의 맥을 이어 준 송덕기 옹을 만나 태껸의 기법과 대륙을 호령하던 만주권법(만주 언어로 **'주안''은 권법**으로 현존하는 중국권법에 지대한 영향을 준 고구려와 발해 혼이 담긴 무예이다.)과 태껸과의 접목으로 명실 공히 태권도가 고려의 수박에서 조선왕조실록에 기록된 수벽치기 그리고 민간에서(놀이형태)로 전해져 온 태껸의 명칭에서 창안되어 진 태권도가 역사적 맥을 이어 가며 국기로 발전하는데 큰 역할을 하신 분이다. 이 자리는 수벽치기 육태안 전인의 배려와 주선으로 이루어졌다.
사운당은 첫 만남에서 다음과 같이 말씀하였다.

- 다들(책을 쓴 태권도 인을 지칭) 나름대로 노력하고 애를 쓰

9) 성열현은 신라 이두발음으로 사열이현이라고 한다.

며 책을 썼는데 말이야……. 한가지씩은 바르다고 할 수 있지만 정확하지 않은 곳이 많더군.

궁금해진 나는 질문했다.

- 태권도의 창시자는 최홍희 씨라고 국제태권도연맹에서 주장하던데 선생님께서는 어떻게 생각하십니까?

右로부터 육태안 전인 필자, 최석기 사범, 앉아계신 박철희 대사범님

사운당이 말하였다.

" 그건 맞지 않아요. 최홍희 총재가 태권도라는 명칭을 창안한 것은 맞아요. 하지만 태권도 창시자는 아니지. 그 사람이 창시자

라면 나도 그 사람 제자고 엄운규 원장이나 태권도인 모두가 다 그 사람 제자여야 하지 않나? 그것에 대하여 나는 이렇게 생각해요. 사람에게 자식이 태어나 이름을 지어주는데 작명가에게 부탁해 이름을 지었다고 하자. 그러면 그 아이의 이름을 지었다고 작명가가 그 아이의 아버지가 되는가? 최홍희 총재는 다만 작명을 했다고 생각하면 됩니다. ”

그리고 한참을 생각하다 사운당 다시 말하였다.

“ 이렇게 생각할 순 있어요. 국제연맹(ITF)의 태권도만을 두고서 고 최홍희 총재가 창시했다고 주장하는 것은 인정할 수 있지요. 하지만 지금 올림픽에 정식종목으로 가입된 WTF에 소속된 태권도는 아닙니다. ”

이 말씀에 나는 공감했다.

최홍희!
그 분은 분명 태권도라는 명칭을 1955년 4월 11일 창안하여 공식 확정하는데 주도적 역할을 하였고 이후 대한태수도협회(전무이사 박철희)에서 대한태권도협회로 명칭을 바뀐 후, 협회장을 역임하면서 국제태권도연맹(International Taekwondo Federation)을 창설한 이후 캐나다로 망명하여 1990년대 사인웨이브라는 기법을 창안하여 틀에 적용시켜 WTF와의 차별화를 시켰다. 이러한 사인웨이브가 나는 너무나 궁금했지만 자세히 알 수 없는 일이었다.

하지만 이 사인웨이브에 대하여 무술전문 매거진인 마르스의 객원기자인 정유진 기자와의 인연으로 인해 그 궁금증을 해소할 수 있었다.

정유진 기자는 태권라인에 연재되던 나의 자전소설 '이루지 못한 약속'을 읽고 감명을 받아 나에게 연락을 했고 의기투합한 우리는 태권도의 발전에 대하여 많은 이야기를 나누었다.

2002년 초에 정유진 기자는 마르스의 도움으로 캐나다에 가서 최홍희 총재를 직접 만났다.
이 일에는 캐나다에서 최홍희 총재를 그림자처럼 모시던 정순천 사범의 적극적인 후원이 있었는데 정순천 사범은 캐나다에서 최홍희 총재를 모시며 참으로 어렵게 생활하고 있었다고 한다. 하지만 정순천 사범은 어려운 가운데 내색하지 않고 최대한 협조하여 주었으며 최홍희 총재는 연로하심에도 불구하고 그 어떤 조건 없이 정유진 기자에게 아낌없이 사인웨이브의 모든 것을 알려주었다.

이러한 과정 속에 귀국한 정유진 기자는 나를 찾았으며 2002년 3월 30일! 무술전문 매거진인 마르스와 오창진 사범의 후원으로 **우리나라에서는 최초로 역사적인 ITF태권도 세미나**를 **최홍희 총재의 승인 하에 태권도 용두체육관에서 개최**하게 되었는데 그 내용은 다음과 같다.

국제태권도연맹은(ITF)는 세계태권도연맹(WTF)보다 먼저 고 최홍희씨가 중심이 되어 창립되었다. 하지만 국내 정치적 상황으로 인하여 캐나다로 망명한 최홍희 총재의 국제태권도연맹은 그들만의 국제화를 위해서 상당히 노력하여 온 결과, 이론적으로 체계적인 완성을 이룬 것으로 보이는데 이들의 핵심 기법은 '사인웨이브'이다.

사인웨이브는 고 최홍희 총재가 1974년 미국인 제자가 연구하는 물리학의 **키네틱 에너지 동적 원리에서** 힌트를 얻었다고 한다. 키네틱 에너지 동적원리란 다음과 같다.

1) 키네틱 에너지 동적 원리

키네틱스(kinetics:운동역학)은 힘과 토크가 질량을 갖고 있는 물체가 운동에 미치는 영향을 연구하는 물리학의 한 분야이다.
운동 역학이라는 용어를 사용하는 학자들은 운동물체를 다루는 고전 역학의 한 분야를 지칭하는 말로 운동 역학과 거의 유사한 용어인 동역학(dynamics)이라는 용어를 사용하는데 동역학은 평형상태에서 정지해 있는 물체를 다루는 정역학(statics)에 반대되는 개념이다. 이들은 운동학(kinetics: 힘 토크 질량을 고려하지 않고 단지 물체의 위치 속도 가속도를 이용하여 물체의 운동을 나타냄)과 운동역학을 동역학에 포함 시켜서 생각한다. 반면에 운동역학이라는 용어를 사용하지 않는 이들은 고전 역학을 운동학과 동역학의 두 부류로 나누는데 이때 정역학은 힘과 토크이 합이 각 0이 되는 운동 역학의 특수한 경우로 생각한다.

2) 사인웨이브

사인웨이브는 P=1/2mv2 즉 힘이란 질량 곱하기 가속이라는 것인데 과학자들의 이야기는 ' 속도는 그대로 지속되고 질량이 늘어나면 3배의 힘이 나오는데 질량은 그대로 있고 속도가 늘어나면 9배의 힘이 나온다는 것이며, 움직이는데 질량이 늘어나고 속도가 늘어나면 12배의 파워가 나온다는 이론에서 발견한 기법으로서 보충하면 내려오는 폭포의 물은 흐르는 물보다 더 강력한 힘을 내는데 그것은 같은 물의 양이라도 위에서 아래로 떨어지니까 점점 가속이 생기는데, 그것을 원리로 창안된 것이 사인 웨이브로서 최대한 12배의 힘을 내는 원리이다. 여기에 뉴턴의 힘의 원리, 상대의 힘을 이용하면 배인 최대 24배의 힘을 낼 수 있다는 원리라는 것이다. 이외 타이밍과 많은 힘의 요소가 있는데 이 사인 웨이브는 가장 최근에 완성된 기법으로 ITF의 틀에 적용했다. 이러한 물리학적 이론을 적용한 ITF 태권도와 WTF 태권도를 비교할 수 있는 것은 아니지만 적어도 이론에서는 차별화시킨 것이라고 할 수 있겠다. 세미나르 통해 ITF 태권도의 이론과 실기의 실체를 파악하고 나서 나는 깊은 상념에 잠겼다.

세계는 동양 무술의 각축장이 된 지 오래이며, 싫든 좋든 태권도는 타 무술과 비교되고 있다. 따라서 태권도의 세계화에 있어서 보다 발전적인 활성화를 위해선 타 무술에 관한 연구가 절대적으로 필요하다.

(2002년 3월30일 제천 태권도 용두체육관에서 개최 된 국내 최초 ITF태권도세미나)

먼저 동양 무술 가운데 세계에서 가장 영향력이 큰 중국과 일본의 무술 중 핵심적인 기법으로 평가되는 중국의 발경과 합기의 기술체계를 살펴보면 다음과 같다.

1) 중국무술의 핵심 '발경'

중국 무술하면 소림사를 떠올리게 되고, 화려하고 다양하며 가공할 파괴력, 그리고 신비함을 연상시킨다. 그것은 아마도 영화나 드라마를 통하여 각인된 인식에서 비롯된 허구이며 실제로 중국무술과는 전혀 다르게 왜곡되어있는 부분이 너무 많다.

중국무술의 최고 경지는 발경에 있으며 발경은 곧, 중국무술의 과학적 이론이며, 수백 년 동안 갈고 닦으며 만들어져 온 중국무술의 결정체이다. 발경에 대하여 자세히 살펴보면 다음과 같다.

발경을 지칭하는 침추경(沈墜勁), 십자경(十字勁), 전사경(纏紗勁), 냉경(冷勁), 침경(沈勁), 탄경(彈勁)등이 있는데 각종 발경의 명칭은 원래는 없는 것을 무술가들이 연구하여 이해하기 쉽도록 명명한 것으로 우리말로 해석을 굳이 하면 힘쓰기, 힘을 모아 강한 파괴력을 내는 것이라고 할 수 있다.

발경은 발경을 위해 힘을 쓰기 위한 준비가 있는데 이것은 마치 활시위를 당겨 놓은 듯한 자세라고 설명을 할 수 있는 축경이 있고 이러한 자세에서 이루어지는 발경은 활이 시위를 떠나 튕겨 나가는 것과 같은 것이다.
먼저 기법을 구분하면 다음과 같다.

1) 앞으로 찔러내는 충경
2) 찔러 내리는 단경

3) 찔러 올리는 찬경
4) 팔굽을 굽혔다가 튕겨쳐 내는 탄경(彈勁)
5) 위에서 아래로 휘둘러 치는 벽경
6) 측면으로 곧게 휘둘러내는 용경
7) 밑에서부터 측상방으로 쳐 올리는 두경 등으로 나눈다.

이러한 발경을 세 가지 방향으로 나누면

1) 직경(直勁)
2) 횡경(橫勁)
3) 사경(斜勁)이고,

거리로 나누면
1) 장경(長勁),
2) 중경(中勁),
3) 단경(短勁)이 된다.

발경은 또한 육합이라고도 불리며 육합은 내삼합과 외삼합을 합쳐 육합이라 불리는데 다음과 같다.

1) 내삼합(內三合)은 심, 기, 력(心 氣 力)이며
2) 외삼합(外三合) 손과 발, 어깨와 고관절, 팔굽과 무릎을 말한다.

경(勁)의 정도(程度)구분하면 명경(明勁), 암경(暗勁), 화경(化勁)으로 나눌 수 있다.

(1) 명경은 명확하게 눈에 확실히 보이게 표현되는 것이며,
(2) 암경은 그 움직임이 있는 듯 없는 듯 한 것이고,
(3) 화경은 움직임이 없는 듯 한 것이다.

5) 십자경
십자경은 상호 작용하는 힘에 대하여 설명한 것이다.
왼손이 앞에 있고 오른 주먹이 뒤에 있어 오른 주먹으로 가격을 할 때 앞에 있는 왼손을 당기면서 뒤에 있는 오른 주먹으로 가격한다면

오른 주먹만으로 가격할 때 보다 더욱 강한 파괴력을 낼 수 있는 것을 말하는 것이다.

6) 전사경

전사경은 온몸을 비틀 거나 회전하며 가격하기 때문에 전체적인 거리를 크게 하는 효과가 있으며 목표지점까지 이르는 데는 그만큼 가속도가 증가하게 된다. 전사경은 매우 중요한 것이며 또한 무술 상 우수한 이점을 지니고 있다. 즉 거리를 늘리는 효과가 되어 가속도를 증가시켜 파괴력을 증대할 수 있다. 전사경을 사용할 때는 힘의 방향을 변화시킬 수 있고 상대의 반격과 부딪혔을 때 그 타력을 감소시킬 수 있다.

7) 침추경

높은 자세에서 급격히 신체를 낮추면서 발을 비트는 동작은 중력을 증가시키면서 힘을 쓰는 것이 침추경이다.
큰 저울 위에 올라가서 높은 자세로 측면 공격을 하면 그 수치가 줄어든다. 발을 옆으로 비틀어 넣으면서 몸 자세를 급격히 낮추면 그 수치가 크게 늘어난다. 이것은 중력의 반동을 힘과 파괴력으로 변동시킬 수 있는 합리적인 방법이다.
이외에 여러 가지 발경에 대한 설명이 있다.
중국무술을 배우는 사람들 사이에서도 신비스럽게 여기고 있는 타법이 척경(尺勁), 촌경(寸勁), 분경(分勁)이다. 이것은 자세를 낮추어 들어가는 침신, 신체의 비틀림, 보법, 뒷손을 세게 뒤로 끌어당기는 동작등을 총 배합하였을 때 10Cm나 1~2Cm 앞에서도 파괴력을 발휘할 수 있다는 설명이 된다. 특히 최 접근에서는 손목의 역할도 중요하며 앞으로 밀어내는 듯한 직선 공격을 쓰지 않고 깎아내듯이 상방 또는 하방으로 힘을 모으는 기법이라고 한다. 즉, 발과 허리로 가속을 시켜서 끝으로 전달시키는 것이다.
중국무술의 위력은 침투력에서 나온다. 아무리 충실한 호구로 방어를 할 수 있다고 하여도 침투력이 있는 타법에는 당할 수 없다.
발경의 단계에는 축경과 발경이 있다고 하였다. 이 단계들은 호흡과 밀접한 관계를 갖고 있다.

2) 일본무술의 핵심 합기(合氣)

동양 무술에서 인간이 할 수 있는 신비하고 불가사의한 것으로 중국의 발경과 일본의 무술인 합기를 비교할 수 있다.

합기에서, 상대방에게 힘을 투철 시키기 위해서는 우선 손목 투철력이 필요해진다. 그리고 전신의 힘을 집중시키는 기법이 필요하다.

이 집중의 기법이 신근기법 전달력 기법이다.

합기는 결국 굴신력(屈伸力)과 전달력(傳達力)이라고 말할 수 있다.

굴신력과 전달력은 태권도에도 있는 것이며, 이것은 골프나 무용 등의 기예에도 있고, 노동 작업에서의 숙련자 모두가 응용하고 있는 것이다.

결국 합기란 '**훈련에 의해서 신체 전체에서 나오는 힘을 한 곳으로 집중시키고, 효과적으로 힘을 활용하는 것,** 을 말한다. 즉 몸의 힘을 한곳으로 집중시켜 강력한 힘을 내는 것을 말하고 있는 것이다. 이는 호흡과도 밀접한 관계가 있다. 이러한 것으로 미루어 합기는 곧 발경과 유사한 기법임을 알 수 있다. 「 **힘을 주지 않고 내 던진다」는 불가사의한 기술의 본질은 힘으로 느끼지 않는 힘, 즉 전달력의 작용이라고'합기의 과학' 저자** 吉丸慶雪**은 정의하고 있다.** 따라서 합기는 온 몸의 신장력을 종합하는 집중력이라고 할 수 있다.

동양무술의 주축을 이루는 세 가지를 기법을 말하라면 **중국의** 發勁**(발경)과 일본의** 合氣**(합기) 그리고 대한민국의** 用力**(용력 : 힘쓰기로 이 용어는 필자가 정한 것이다.)이라고 말할 수 있는데 이러한 기법은 서로 간 그 기술이나 기법을 행하는데 차이가 있지만 궁극적으로는 일맥상통한 것이다.**

사운당 박철희 사범님과 수벽치기 전인 육태안 선생님 그리고 나는 의림지에서 귀한 인연을 맺은 덕에, 참으로 많은 기법적, 역사적 의문이 풀렸다.

태권도는 '수련을 통한 양생과 전인적인 인간완성'에 있으며 '수련을 통한 깨달음을 바르게 실천하는 知行合一(지행합일)'이 이루어 질때, 그 價値(가치)가 높아진다. 이러한 태권도의 사상은 태극사상을 기본으로 하는데 태극의 핵심사상은 양의 사상이다.

양의는 음양을 말하는 것으로 음양은 한방(韓方)에 있어서도 주요한 내용이다.

인체를 양의론으로 구분한 것을 살펴보면 인체의 등 쪽은 양,

복부 쪽은 음이라 하였고 체표는 양, 체내는 음이라 한다. 장부(臟腑)에서 腸(장)은 음이고 부는 양이라 하다.

또한 소화, 호흡, 심장박동, 혈액 순환과 같이 기능적인 활동은 양에 속하고 이러한 기능 활동을 가능하게 해주는 영양물질은 음이라고 생각했다.

인체의 각종 기능 활동은 모두 영양물질을 기초로 삼아야만 하고 영양물질이 없으면 기능 활동은 이루어질 수가 없다. 동시에 기능 활동은 또 영양물질을 이동하고, 물리 화학적으로 변화시키는 동력이다. 만약 장부의 기능 활동이 없으면 음식물도 체내에서 영양물질로 변할 수 없다.

이렇듯 음양 사상은 인체의 정상적인 생명 활동이 음양 간의 상호 대립, 협조 관계를 유지하는 결과라고 인식하였다. 이러한 음양 사상에 근거하여 신체 내 음양의 균형을 맞추기 위해 팔괘를 적용하기 위한 품새가 태극 품새이지만 이론적으로 팔괘가 가지는 의미와 태극 품새의 동작은 연구가 더 필요하다. 이러한 근거에 의한 수련을 통하여 심신의 건강을 도모함으로써 건강을 유지하고 그러므로 인해 스스로 병을 호전시키고 나아가 양생에 필요한 수련체계의 정립이 필요하다.

태권도를 통하여 건강을 증신시키기 위한 이론적인 완성을 위해 나는 12경락과 기경팔맥에 주목하였다. 그것은 몸속에 기(氣)가 넘치거나 부족할 때 기(氣)를 사해주거나 기를 보충해 주는 것이 기경팔맥이라는 이론에 따른 것이다. 그러나

기(氣)라는 것을 몸으로는 느끼지만 이론적으로 풀어낼 지식이나 재능이 나에게는 없었다. 다만 수련을 통해 깨달은 것은 태권도 수련은 생활 속에서 이루어져야 하며 수련을 통해 느끼고 깨달은 것을 실천하여 삶의 조화를 이루어야 한다는 것이다.

「우리는 대립과 갈등, 몸과 마음의 이분법적 논리로서의 접근이 아니라 건강이라는 행복을 추구하기 위하여, 평화와 상생을 위한 몸과 마음의 조화를 이루는 수련을 해야 한다. 이러한 수련을 통한 태권도가 곧 삶이며, 철학이며 인생인 것이다.」 - 끝 -

epilogue

집필을 마치면서 먼저 가족들에게 가장 미안한 생각이 든다. 뒤돌아 보면 참으로 먼 길을 온 것 같고 지나온 길이 꿈길처럼 아득하게 느껴진다.

가끔은 참으로 힘들고 외로운 시간도 있었고, 천 길 낭떠러지기에 선 것 같은 백척간두의 기나긴 시간도 있었지만, 수련 중에 얻어지는 깨달음의 환희는 힘들고 고통스러운 시간에 대한 충분한 보상이 되고도 남는 것 같은 시간이었다고 나는 자평한다.

태권도에 있어 입신의 경지라는 9단 승단도 했고, 국기원 고단자 심사평가위원과 국내외 태권도 단체의 임원과 심판 활동과 34년의 사범 생활을 마치고 2018년 12월 제자인 정명지 사범에게 태권도장을 물려주면서 일선에서 물러났지만, 태권도에 대한 나의 갈증은 여전하다. 그것은 나의 자질과 능력으로는 해결이 안 되는 것이 있기 때문이었다. 그것은 태권도를 수련하면 건강이 좋아지는 양생법을 완성하지 못한 것이기에 더욱 그렇다. 한방에서 우리 몸에는 12 경락이 있고, 8개의 기경 8 맥이 있는데 내가 주목하는 것은 기경 8 맥이었고, 이 기경 8 맥은 12 경락을 따라 몸에 기(氣)가 넘치면 사해주고 기가 모자라면 보충해 주는 역할을 한다고 알려져 있다. 이 기경 8 맥에 흐르는 기(氣)를 몸으로는 느끼지만 실체를 알 수 없었고, 설명할 수 있는 이론적인 체계를 세울 수가 없었다. 이러한 부분에 있어 걸출한 후진들이 해결해 주기를 바라는 마음이 간절하다. 끝으로 오늘의 내가 있기까지 도와주시고 이끌어 주시며 사랑해 주신 모든 분께 감사드린다.

갑진년 유월 박승동